« JE VOUS DEMANDE
LE DROIT DE MOURIR »

Vincent HUMBERT

« JE VOUS DEMANDE
LE DROIT DE MOURIR »

Propos recueillis et texte élaboré
par
Frédéric Veille

Michel LAFON

À maman...

– Préface –

Un jour, Vincent m'a dit : « Je veux que tu écrives un livre sur ce que j'ai vécu. »

J'ai longuement hésité. Je ne savais pas si j'aurais le temps, si je saurais retranscrire tout ce qu'il avait à me dire.

Et puis, j'ai relevé le défi. Pour lui, pour moi.

Car ce gosse m'a ému. Pas seulement à cause du drame qui le touchait et qui touchait sa famille : j'ai été bouleversé par sa volonté, sa détermination, son analyse des choses.

En plongeant dans sa vie, sans scaphandre, sans masque, sans tuba, j'ai découvert un océan d'humanité. Son pouce qui s'enfonçait dans ma paume afin de communiquer restera gravé en moi.

Pendant ces longues heures passées près de lui pour écrire ce livre, sa main reliée à la mienne me transmettait de grands moments de joie, d'amour et de douleur.

Les moments de joie étaient beaux. Vincent souriait, je souriais.

Les moments d'amour étaient intenses. Vincent pleurait à l'intérieur, j'étais au bord des larmes.

Les moments de douleur étaient terribles. Vincent se crispait, j'avais mal pour lui.

Il m'a fallu plusieurs jours pour entrer dans sa peau, dans son corps meurtri, dans son âme d'enfant, dans ses réflexions parfois naïves, dans ses analyses d'adulte. Il m'a fallu des heures pour penser ce qu'il pensait, pour transcrire ce qu'il m'avait dit. Il m'a fallu des minutes pour apprendre à lui parler en lui dictant l'alphabet. Il m'a fallu quelques secondes pour l'aimer.

Non, Vincent Humbert n'est pas un sale gosse prétentieux qui a pris la grosse tête parce qu'il a, un jour, eu sa photo dans le journal.

De tout cela, il s'en fout. La seule chose qu'il veut, c'est ne plus souffrir, ne plus faire souffrir les siens.

Son seul but dans la vie qu'il vit aujourd'hui et qu'il n'a pas choisie est justement de ne plus vivre, de mourir.

C'est son choix.

Comme tous ceux qui l'aiment, je ne l'ai pas partagé au début. Je me disais, comme les autres, qu'il y avait peut-être un infime espoir pour qu'il aille mieux et que cette lueur devait être entretenue.

Mais avec sa force de conviction, son envie, sa détermination à disparaître, et surtout le verdict implacable de la médecine qui ne lui laissait plus aucune chance d'amélioration, la flamme s'est éteinte.

Vincent a décidé de mourir.

Respectons son choix.

Faisons-lui cet honneur.

Frédéric VEILLE

– I –

Et voilà, ma mère vient de quitter ma chambre, elle rentre chez elle et ce soir, comme chaque soir, elle ira travailler. Et moi, une fois de plus je me retrouve tout seul dans cette pièce, dans ce lit trop petit, ce lit que je déteste parce que j'y passe le plus clair de mon temps, ce lit que je déteste surtout parce que ce n'est pas le mien. Dans trois heures les infirmières repasseront pour de nouveaux soins, pour me retourner, pour voir si tout va bien, pour me remettre le masque qui m'aide à respirer. Si elles savaient qu'au bout de dix minutes déjà je n'en peux plus, que j'ai envie de bouger, que j'ai mal partout, que j'ai des crampes, que je peine à respirer, que j'ai envie de quitter ce lit, cet endroit, cette chambre sordide ! Enfin je suppose qu'elle est sordide, car je n'ai jamais pu la regarder : j'ai perdu la vue, l'odorat, le goût, l'envie de vivre. Mais ce lieu dans lequel je me trouve, cet univers que je n'ai pas voulu et qui m'est imposé est forcément sordide puisqu'il respire la mort, puisqu'il respire *ma* mort.

Oui, c'est ici que je vis depuis plusieurs mois. Enfin quand je dis « je vis », ce n'est qu'une expression. Disons que c'est ici que je réside : chambre HA125, au premier étage du centre hélio-marin de Berck-sur-Mer. C'est là que je stagne, entre les murs ternes d'une chambre d'hôpital, des murs que ma mère a décorés et tenté d'égayer pour elle, pour mes visiteurs – malgré la réticence du personnel médical qui préfère, par souci d'hygiène, que rien n'y soit collé. Qu'importe, elle l'a fait quand même et affiche les photos de ma famille, de mes frères, de ma tante, de ceux qui m'entourent. Elle a aussi collé plein de cartes postales, des dizaines de messages, de dessins d'enfants, de calendriers. Je sais également, mais je ne le vois pas, que devant moi maman a accroché un grand poster de Bob Marley sur la porte des toilettes et qu'à côté, elle a mis le Titi qu'on m'avait offert pour mes dix-neuf ans. Titi, vous voyez ? Le gentil canari. Celui qui se faisait toujours embêter par le gros minet. J'aime bien Titi, quand j'étais petit, il me faisait rire. Mais à dire vrai, je m'en fous de ce qui est accroché sur les murs, de toutes ces cartes postales, de toutes ces photos, de toutes ces peluches suspendues au-dessus de moi puisque, comme tout le reste, je ne les vois pas non plus. Mais ça fait plaisir à ma mère, ça lui change les idées quand elle passe des heures et des heures près de moi. Et puis le Titi, c'est un clin d'œil puisque depuis mon plus jeune âge elle m'appelle ainsi. Ou Chouchou, ça dépend des jours.

Au fait, je ne me suis pas présenté. Je m'appelle Vincent Humbert, j'ai eu vingt-deux ans le 3 février 2003. Mais vous me connaissez sûrement, on a tellement parlé de moi en décembre dernier ! Oui c'est moi le jeune Normand tétraplégique qui a écrit au président Chirac pour lui demander le droit de mourir, pour le supplier de lui venir en aide. Car cette existence qui est la mienne depuis près de trois ans n'est pas une vie pour un jeune homme comme moi. Un jeune homme dont la photo a été diffusée par tous les journaux. Mais c'est une photo d'avant... On l'a prise quand je faisais un discours au mariage de mon frère, un mois avant mon accident. À l'époque j'étais beau, rieur, plein d'espérance. Et le Président, comme vous tous, n'a vu que ce cliché. Pas plus que vous il ne sait la tête que j'ai aujourd'hui. Moi non plus d'ailleurs, mais j'imagine que cela ne doit pas être très joli, même si je fais tout pour rester présentable.

Depuis décembre 2002, bien des choses ont

changé autour de moi, bien des choses ont été dites, écrites. Et, quoi qu'en disent certains, je ne suis plus un patient comme les autres. Par mon cri de douleur et de désespoir adressé au Président, je suis devenu une star. Je n'aime pas ce mot et en plus c'est prétentieux de ma part de dire cela, moi qui n'ai pas demandé à être là – ni dans l'état où je suis aujourd'hui. Mais vous le comprendrez, j'aime quelquefois plaisanter. J'aime aussi dire les choses telles qu'elles sont, sans détour. De toute façon, depuis que je ne communique qu'avec mon pouce et quelques signes de tête, il vaut mieux que je ne fasse pas de sous-entendus et que j'aille directement au fait.

Avoir alerté l'opinion publique, avoir crié aux gens ma douleur, mon envie de ne plus vivre ce que je vis et ce que je fais vivre à mes proches, m'a soulagé. Mais je n'ai rien obtenu d'autre. Pis encore, tout cet épisode médiatique, nécessaire pour qu'enfin en haut lieu ils comprennent un jour que faire durer des gens comme moi est un crime, n'a fait que reculer l'échéance. Car je veux toujours que l'on mette fin à mes jours. Oui, je persiste : je veux mourir parce que cette vie de merde qu'on me fait vivre depuis mon accident, je n'en peux plus, je n'en veux plus. Ce n'est pas une vie, ce n'est pas ma vie.

Dans les pages qui vont suivre, je serai parfois

grossier. Certains mots sortent naturellement quand ils sont puissamment pensés. Et penser, je peux vous dire que je ne fais que ça depuis que j'ai retrouvé ma tête, depuis que, grâce à la persévérance et à l'amour de ma mère, je peux de nouveau communiquer – avec peu de moyens, c'est sûr, mais je peux m'exprimer, dire ce qui va, ce qui ne va pas. Et ce qui ne va pas, avant tout, c'est qu'on ne m'aide pas à mourir.

Alors pour que vous me compreniez mieux, pour que le débat sur l'euthanasie franchisse enfin un palier, que ce mot et cet acte ne soient plus un sujet tabou, que l'on ne laisse plus vivre des gens lucides comme moi qui veulent obstinément mourir mais qui ne peuvent mettre eux-mêmes fin à leurs souffrances, j'ai voulu faire ce livre que je ne lirai jamais de mon vivant. Oui, ce livre, je ne le verrai jamais dans les librairies, je ne verrai jamais la gueule qu'il a, car je suis mort depuis le 24 septembre 2000 peu après 20 heures sur une route départementale de l'Eure. Depuis ce jour, je ne vis plus, on me fait vivre, on me maintient en vie. Pour qui, pour quoi, je ne sais pas. Tout ce que je sais c'est que je suis un mort vivant, que je n'ai pas souhaité cette fausse mort et encore moins tout ce que j'endure depuis près de trois ans.

Pourtant qu'est-ce que j'aimais la vie ! Cette vie si simple mais si belle que j'ai eue chez moi, à Francheville... C'est là, dans ce village de l'Eure, que j'ai passé toute mon enfance, mon adolescence, dans la grande maison que mes parents avaient achetée. Je l'aimais, cette maison. J'y ai fait tellement de conneries, avec mes deux grands frères, Laurent et Guillaume ! Aujourd'hui quand on en reparle tous les trois, on en rigole encore et maman, la petite curieuse, cherche toujours à savoir ce qu'on se dit. Mais c'est un secret que j'emporterai avec moi et que mes frères garderont en souvenir de toutes ces belles années passées. Ah, mes frangins ! Ce sont des mecs bien. La preuve, il faut en vouloir pour poser avec moi sur cette photo, là, celle qui est au mur au-dessus de ma table de nuit. Eux sont beaux, bien habillés, ils se tiennent bien. Moi...

Non, vraiment, Lolo et Guigui, je les aime. Je sais que dans certaines familles cela ne se passe pas ainsi, qu'on apprécie plus ou moins, ou pas du tout, ses frères et sœurs mais en ce qui me concerne, ils ont toujours été là pour moi. Et pourtant je leur en faisais baver, moi le petit dernier ! Je me rappelle qu'à l'école, et même au collège à Breteuil, quand des mecs m'embêtaient, ils venaient toujours à mon aide, ces grands bêtas, Lolo le justicier des temps modernes et Guigui le mec cool, le pacificateur. Pas un de nous trois n'avait le même caractère, mais quand l'un n'allait pas bien, les deux autres le ressentaient automatiquement. C'est pour cela qu'aujourd'hui je veux les remercier de tout ce qu'ils ont fait pour moi depuis mon accident. Car pour eux aussi, ç'a été très dur de me voir dans cet état. Je sais qu'il leur a fallu beaucoup de courage pour affronter la réalité, qu'il leur en faut aujourd'hui pour accepter mon choix de disparaître, et qu'il leur en faudra encore quand je ne serai plus là. J'espère qu'ils se sont préparés à cette fin programmée et qu'ils ne garderont que les belles images de moi, pas cette tête de débile que j'ai en ce moment, ou sur cette photo que je leur conseille de déchirer. Non ! Ma belle gueule d'avant, avec mes rires et mes blagues à deux balles.

Maman m'a toujours dit que quand j'étais petit j'étais un vrai clown, un coquin qui aimait tout le temps faire rire ses copains. Un vrai petit coq aussi : je passais des heures et des heures dans la salle de bains et quand j'en sortais, je venais toujours voir ma mère pour qu'elle me confirme que j'étais beau et bien habillé. Je pouvais alors aller m'amuser avec mes potes ou avec mes frères : j'étais plus que présentable ! On jouait des heures entières. Avec Lolo c'était foot et tennis, tout ce qui bouge ; avec Guigui c'était souvent à l'intérieur de la maison. Il était génial, mon grand frère, quand il construisait des circuits pour mes petites voitures. Il passait un temps fou à tout mettre en place avant qu'on puisse commencer à jouer et il n'oubliait rien. Et moi le gros bourrin, je détruisais tout en trente secondes alors que lui, inlassablement, remettait le puzzle en ordre. Il gueulait un peu mais pas trop. En revanche, là où il me mettait la pâtée, c'était à la PlayStation. On pouvait rester des après-midi entiers ainsi, à s'amuser sans se soucier de ce qui pouvait se passer autour de nous.

Repenser à tout cela, à tous ces moments de joie, à tous ces jeux, ces parties de tennis, ces matchs de foot où je me prenais pour le meilleur gardien de but du monde, repenser à cette vie où j'avais mes jambes et tout le reste m'a souvent aidé dans mes heures les plus sombres, mes heures de grande solitude, mes heures de déprime, les heures où vous voyez tout en noir, où rien ni personne ne peut vous aider à aller mieux. Je puisais alors dans ma mémoire pour me souvenir de tous ces instants passés, jusqu'à m'en faire mal au crâne. Quelquefois, quand mes frères m'en parlent, je cherche à redécouvrir d'autres moments, que j'ai oubliés. Il y a plein de choses que j'ai zappées, en effet. C'est comme si la carte mémoire de mon cerveau n'avait pas totalement été réparée quand je suis sorti du coma. Par moments j'ai des trous, je réfléchis et alors j'entends Lolo, Guigui ou ma mère qui me disent : « Mais si, tu sais, tu avais fait ça ce jour-là... »

Au début, lorsque j'avais encore un peu d'espoir, lorsque je pensais que je recouvrerais toutes mes facultés, je leur disais oui, je me rappelle... pour leur faire plaisir. En fait, je ne me souvenais de rien mais ça me donnait un but pour les heures qui suivaient. J'avais une mission : retrouver dans ma mémoire éparpillée cet instant qu'on venait de me raconter. Mais aujourd'hui, quand ils me parlent de choses dont je n'ai aucun souvenir, je les envoie chier et je bouge légèrement la tête pour leur dire non, laissez-moi, je n'ai plus envie de chercher.

C'est un peu comme quand je reçois des lettres d'anciens potes qui m'écrivent qu'on a fait ça ensemble, tel jour, qu'on a vu Untel, qu'on a joué dans tel endroit... Ça me semble si loin que je suis aujourd'hui persuadé que c'était dans une autre vie, dans ma première et ma seule vie, celle où j'avais plein d'amis qui venaient me voir et avec qui je passais tout mon temps.

Vous savez ce que c'est, à la campagne. Les premiers copains de maternelle, normalement vous les gardez jusqu'au bout si vous ne vous fâchez pas avec eux et que par bonheur ils ne déménagent pas. Eh bien dans mon cas, c'est ce qui s'est passé. J'ai toujours eu les mêmes copains et, au final, c'est moi qui suis parti à cause du divorce de mes parents. Et si au début de mon hospitalisation quelques-uns sont venus me rendre visite, aujourd'hui plus personne ne vient me voir. Je les comprends, je ne vois pas de quoi l'on parlerait. De sorties, de bagnoles, de musiques, de pétards, de filles ? Moi, à part leur dire que ma seule distraction c'est la télé – enfin, le son de la télé –, le kiné, mes soins et ma mère... Ça me fait d'ailleurs penser que l'autre jour j'ai reçu une lettre d'une fille qui disait avoir été amoureuse de moi à la maternelle. J'ai beau fouiller dans ma mémoire, je ne vois pas qui c'est, cette gonzesse ! Qu'importe... Car pour moi, aujourd'hui, les filles...

Quand j'y songe, je n'ai vraiment pas à me plaindre de mon enfance, j'ai eu tout ce que j'ai voulu, je n'ai manqué de rien et même si j'ai fait plein de bêtises, aujourd'hui il y a prescription. De toute façon ma mère me disait toujours qu'avec ma petite tête d'ange, on me pardonnait tout. Pourtant j'ai souvenir d'avoir pris quelques bonnes claques. Méritées, je ne sais pas, je ne sais plus. Sans doute méritées, quand même !

Le plus drôle, dans tout cela, c'est que depuis quelque temps je fais beaucoup d'aveux à maman, « tu sais un jour, j'ai fait ci, un jour j'ai fait ça ». L'autre fois, je lui ai même avoué un gros mensonge en lui disant que la petite sortie de route que j'avais faite avec la voiture de papa et où j'avais terminé dans un champ, ce n'était pas pour éviter un chien. Non. En réalité, il y avait quelque temps que je m'entraînais aux dérapages au frein à main et que je voulais faire comme dans les films en faisant crisser les pneus. Ce jour-là, je me souviens, j'ai bien tiré le frein à main, mais j'ai dû rater quelque chose. La voiture a fait une embardée, j'ai manqué le virage et je me suis retrouvé dans le champ. La bagnole plantée là, le pare-chocs abîmé, le phare en vrac... Je suis rentré à pied et j'ai dit à maman : « C'est un chien qui a traversé. » Eh bien quand je lui ai avoué ce mensonge, elle a rigolé ! J'ai bien fait d'attendre pour lui dire sinon je crois que sur le coup, elle m'aurait mis une bonne gifle. Parce qu'elle a beau être petite ma mère, elle a une putain de force dans les bras.

Enfin, de la force... pas toujours assez ! L'autre jour je n'en pouvais plus, j'avais mal au dos et dans ma jambe car ça faisait un petit bout de temps que les infirmières n'étaient pas passées pour me retourner. Ma mère avait beau appeler, personne ne venait. Je me rappellerai toujours ce moment-là parce que c'est un des rares fous rires que nous ayons eus dans cette chambre, maman et moi. Elle m'a dit : « Bouge pas, je vais te retourner moi-même. » Et la voilà partie à me secouer comme un abruti, à tenter de me soulever, de me faire pivoter. Au fond de moi je rigolais d'avance car je savais bien que, même si elle y mettait toute son énergie, elle n'y arriverait pas. Alors elle s'est glissée derrière moi, a passé ses bras sous mes épaules et a tenté une dernière pirouette. Et boum ! On s'est retrouvés par terre comme deux idiots, le lit d'un côté, la table de nuit de l'autre et nous au milieu de la chambre : la mère dos au sol avec son fils sur elle qui l'écrasait de tout son poids, vous voyez le tableau.

Et là, comme par hasard, les infirmières ont rappliqué. Et nous on rigolait. On rigolait et moi j'étais heureux comme un gosse.

Cette scène de joie qui n'a pas du tout fait rire nos soignantes – il faut dire que ma mère aurait pu se faire mal – m'a rappelé plein de choses, plein de souvenirs d'enfance. Le choc, peut-être ? ça m'a rappelé que toute sa vie, on reste un enfant qui ne rêve que d'une chose : vivre un moment simple et fort, comme celui que je venais de vivre, avec sa maman.

Parce que, vous l'aurez compris, ma maman c'est tout pour moi, moi qui suis le seul de ses trois fils à l'appeler tout simplement maman. Lolo, lui, c'est « Mamoune ». Guigui c'est « ma poule ». Mais moi ça a toujours été maman. Ma maman. J'étais, paraît-il, moins collant, moins dans ses jupons que mon grand frère Laurent mais j'ai toujours été très proche de ma mère. Je le suis encore plus aujourd'hui. Proche d'elle qui sacrifie sa vie pour moi, qui souffre pour moi, qui vit pour et par moi. Elle a un cran, un courage, un amour et un dévouement inimaginables. Je ne sais pas si les gens s'en aperçoivent vraiment mais moi, je mesure ma chance. Ici à Berck, dans cet hôpital, il y a plein d'enfants seuls, des jeunes comme moi à la vie brisée, et des moins jeunes, qui n'ont pas le bonheur d'avoir leur mère à leur côté. Le gars qui était en même temps que moi hier à la séance de kiné, je l'entendais dire qu'il était content parce que sa mère venait de l'appeler pour lui annoncer qu'elle viendrait le voir le week-end prochain, après des mois d'absence.

Moi, ma mère est là depuis mon accident, tous les jours, auprès de moi. Elle a dû m'abandonner trois demi-journées en tout et pour tout depuis mon accident. Car elle vit ici, à Berck. Au début elle était logée dans une chambre du foyer des familles de l'hôpital, puis après quelques semaines, le centre lui a octroyé un petit logement en face de là où je suis. Elle n'a que la rue à traverser en sortant de son studio mansardé pour venir me retrouver. Enfin studio, c'est plutôt comme dans le sketch de Timsit, une petite « studette ». Rien à voir avec l'appartement qu'elle a quitté du jour au lendemain. Elle a en effet tout laissé pour être à mes côtés. Son logement, mais aussi son travail à la banque. Aujourd'hui sa vie c'est moi et ses petits boulots. L'appartement de Verneuil où elle a encore tous ses meubles, et tous les miens, elle l'a toujours. Elle n'y a jamais remis les pieds, mais elle paie toujours son loyer. Alors, il faut bien qu'elle gagne un peu d'argent. Tous les matins, et tous les soirs quand elle me quitte vers 19 heures, elle va faire des ménages, elle va garder des petites vieilles. Tout cela pour un salaire de misère. Mais elle ne se plaint pas, ma mère. Elle ne se plaint jamais, d'ailleurs. Ah c'est sûr, vous n'êtes pas près de la voir défiler dans les rues pour les 35 heures ou pour sa retraite. Elle, chaque jour, elle s'use à faire ses petits boulots qui lui paient de quoi vivre, ou plutôt de quoi survivre, et qui lui permettent surtout d'être le plus long-temps possible auprès de moi.

Quand je vois tous ces pauvres garçons abandonnés ici, ça me révolte. C'est vrai que nous sommes des légumes, c'est vrai que notre vie ne sera plus jamais comme avant mais, merde, si les gens savaient, s'ils comprenaient que malgré nos airs endormis, égarés, notre cerveau enregistre tout, capte tout. Si les gens savaient que tout manque d'affection est pour nous aussitôt perçu comme un drame avec coefficient multiplicateur à l'infini !

Avoir quelqu'un à ses côtés est peut-être la seule chose qui puisse nous aider à vivre un peu mieux cette situation. Car, je le dis et je le répète, nous n'avons rien demandé. Je n'ai rien demandé. Je n'ai pas choisi d'être ici. Moi je voulais juste continuer ma vie tranquille avec ma famille, ma copine, mes potes et mon boulot de pompier. J'avais encore tant de choses à faire sur terre, sur mer ou dans les airs. J'aurais aimé voyager, connaître le monde, rencontrer des gens, découvrir des civilisations. Au cours de mes dix-neuf ans d'existence, j'ai peu bougé. À part les vacances dans les Landes – et encore je m'en souviens à peine car j'avais quatre ou cinq ans –, ma semaine à Chamonix et mon séjour de deux mois à la Guadeloupe chez ma tante Patricia à douze ans, je n'ai rien vu. Souvent ça me manque, surtout quand j'entends à la télé qu'ils parlent d'un endroit aux paysages somptueux, d'une destination paradisiaque où il faut absolument aller, dont on revient émerveillé. Moi, le seul vrai paradis dont je puisse rêver, c'est le paradis blanc qui m'attend dans les prochains mois. Celui de mon dernier voyage avec billet aller simple. Tous les jours j'y pense, ça me hante, ça m'obsède. Et ça m'énerve de devoir encore attendre pour y être, enfin.

Comme pour me faire patienter, mon pote Marco vient de temps en temps avec sa guitare et me joue *Le Paradis blanc*, de Michel Berger. C'est marrant, quand j'étais en vie et que j'écoutais cette chanson, elle me donnait des frissons. Quelquefois même elle me faisait pleurer. Aujourd'hui je l'adore, je connais les paroles par cœur et quand Marco gratte sur ses cordes, il ne m'entend pas, mais moi je chante, à l'intérieur : « Je m'en irai dormir dans le paradis blanc, où les nuits sont si longues qu'on en oublie le temps, tout seul avec le vent, comme dans mes rêves d'enfant. »

Des rêves d'enfant, j'en avais plein, comme tous les gosses. Où sont-ils aujourd'hui ? Rangés, brisés. Je peine même à tout me remémorer de cette période de ma vie, de ce premier chapitre sans anicroche que j'ai vécu avec bonheur et insouciance. Souvent j'essaie de me replonger dans ce premier chapitre en repensant à mon enfance, à ma chambre dans la maison de Francheville. J'étais un privilégié, j'avais une chambre pour moi tout seul alors que mes frangins s'en partageaient une à deux. Je souris en me rappelant ma collection de robots fulguro-points, mes posters de voitures de course, mes coupes gagnées au tennis que j'avais soigneusement alignées sur l'étagère. J'étais doué au tennis. C'est mon père, qui donnait des cours au club du village, qui m'avait appris à jouer dès l'âge de six ans. J'avais un sacré coup droit. Un peu à la McEnroe. C'est grâce à ce coup droit et à mon jeu de jambes que j'ai remporté tous ces matchs et toutes ces coupes. Je crois que si j'avais persisté, si j'avais travaillé, je serais peut-être allé loin. Mais là, comme à l'école, ma mère me disait et me dit encore : « Tu étais trop dissipé dans tout ce que tu faisais. »

Tu parles ! Moi tout ce qui m'intéressait c'était de m'amuser, de profiter de la vie. Avec le recul, je me dis que j'ai bien fait : elle a été tellement courte, ma vie ! Ça me rappelle que quand j'étais gosse, l'été, alors que tous mes copains avaient le droit de jouer dehors jusqu'à 10 heures du soir, moi, ma mère ne me donnait que la permission de 9 heures. Et ça ne rigolait pas ! Alors je rentrais, je disais bonne nuit à tout le monde et je filais dans ma chambre. Je laissais passer cinq minutes et hop, par la fenêtre ! J'allais retrouver mes potes. Je crois que j'ai dû faire ça un bon paquet de fois sans que personne ne se rende compte de rien. Il a fallu que ce soit ma chienne, ma Juju, qui vende la mèche. Un soir où j'étais ressorti, elle a eu envie de faire de même, mais pour d'autres raisons. Seulement, comme elle était enfermée dans ma chambre, elle a gratté à la porte avec obstination. Et c'est ma mère qui est venue lui ouvrir, découvrant par la même occasion mon stratagème. Quand elle a vu que je n'étais plus là, elle a crié pour que je rentre illico. Je crois bien que ce soir-là, tout le village a su qu'un certain Vincent habitait Francheville.

Malgré tout, cela reste un bon souvenir, même si, sur le coup, elle m'a fait ses « yeux revolver », pire que dans la chanson de Marc Lavoine. Cette chanson était d'ailleurs un code, entre mes frères et moi. Quand l'un de nous chantait « elle a les yeux revolver, elle a le regard qui tue », c'était pour prévenir qu'il valait mieux ne pas venir chatouiller la mamma avec nos bêtises. Et je l'entends encore nous demander : « Mais pourquoi vous chantez toujours ça ? » Quand je lui ai raconté cette ruse, l'autre jour, maman est tombée des nues. Moi, j'étais persuadé qu'elle savait...

C'est à cette époque-là aussi que j'ai voulu devenir pompier. En fait, au fond de moi, je crois que j'ai toujours voulu faire ça et que j'étais né pour ce métier. Maman, elle, voit d'autres raisons à cette vocation. « Ton frère faisait du tennis, tu as voulu faire du tennis, ton frère a été pompier, tu as voulu être pompier. Tu as tout fait comme ton frère Laurent. » Peut-être, et je suis fier d'avoir eu comme modèle mon Lolo. Sauf qu'avec les filles, je crois que je ne serais jamais arrivé à le battre. Normal : mon frère c'est un dieu, il est beau comme un dieu et il a toutes les gonzesses à ses pieds. Mais je n'étais pas un branque pour autant dans ce domaine. Je me débrouillais même plutôt bien. Quand je sortais de chez moi, lavé, parfumé, bien habillé, je disais toujours : « Attention les mères, rentrez vos poules, le coq est de sortie ! » Et je partais à la chasse.

Pour en revenir à cette passion du métier de pompier, je crois aussi qu'elle vient du fait que nous habitions tout près de la caserne et que mon frère comme moi nous avions cela dans la peau. Je n'avais même pas onze ans quand je me suis inscrit comme cadet à l'école des pompiers volontaires, les mercredis et samedis après-midi. C'était dur, les « vieux » ne nous faisaient pas de cadeaux. Nous les minots, on était des larbins, on nettoyait les camions, on rangeait les lances, on balayait, on astiquait les casques. Mais c'est drôle, j'aimais ça. Cette discipline qu'il fallait tenir, cette rigueur, cet amour de l'uniforme. D'ailleurs j'aimais tellement ça qu'à la fin, je séchais les cours d'école pour filer à la caserne, voir si l'on n'avait pas besoin de moi.

À table, à la maison avec mon frère, on ne parlait que de ça, et un peu de football. Je crois que les parents devaient en avoir ras le bol de nos histoires, de la petite vieille du bout de la rue qui avait encore fait un malaise, de l'incendie de la grange du père Machin, de l'accident qu'il y avait eu sur la nationale. D'ailleurs, quelle que fût l'heure à laquelle on se couchait, on ne dormait que d'une oreille, au cas où la sirène se mettrait à nous appeler. Ça faisait même râler maman parce que l'hiver on voulait toujours laisser la fenêtre ouverte pour mieux entendre. Elle avait beau attendre que l'on soit endormis pour venir la refermer, il se passait comme un déclic en nous, on se réveillait. On se relevait alors pour à nouveau entrouvrir la croisée, même quand il faisait moins dix dehors. Et si la sirène hurlait, alors là, attention : chaud devant ! On sautait dans nos fringues et dans nos pompes, on partait à moitié habillés et on courait jusqu'à la caserne pour aller en intervention.

J'adorais ces moments d'imprévu, d'émotion,

de courage. Quelquefois il fallait avoir le cœur bien accroché car, tout jeunes, il n'était pas facile d'encaisser ce que nous voyions. Mais c'était comme une évidence pour moi de faire ce métier-là, d'être au service des gens, de sauver des vies. Il n'y a vraiment qu'une seule fois où j'ai failli vomir mes tripes, c'est quand nous nous sommes rendus sur un accident de moto et que j'ai découvert que mon pote Éric venait de se tuer. Là, ça m'a retourné pendant des semaines, je me disais que c'était trop injuste, que ça ne devait pas être vrai, que j'avais fait un cauchemar, que j'allais me réveiller et le voir encore près de moi, à jouer, à déconner comme avant.

Puis les jours ont passé. Je ne l'ai pas oublié, j'ai juste fait avec. Mais malgré cela, jamais je n'ai envisagé de changer de voie. Je voulais poursuivre ma passion, ma raison de vivre. J'étais le sapeur 2ᵉ classe Humbert et j'allais devenir caporal avec un bel uniforme. La classe, quoi ! C'était ce que je voulais. C'était ma vie, et je m'apprêtais à passer le concours pour entrer aux pompiers de Paris. J'y serais peut-être aujourd'hui si je n'avais pas eu ce putain d'accident.

Le pire c'est que, de tout ce que j'ai pu faire en tant que pompier, je ne me rappelle que la moitié. Je me rappelle vaguement avoir éteint un immense feu de chaume dans un champ, mais de la fameuse grande tempête de décembre 1999, je n'ai aucun souvenir. Et pourtant ma mère m'a dit qu'elle ne m'avait pas vu pendant plusieurs jours, que nous enchaînions intervention sur intervention. Ce qui a dû être l'expérience professionnelle la plus intéressante de ma vie n'existe plus dans ma mémoire. C'est frustrant, mais c'est comme ça. Quand on met le calendrier à plat et que l'on remonte la chronologie des événements depuis mon accident, j'ai une perte de mémoire totale de plus de six mois. Le néant. Cramée la disquette ! Tout ce que je sais aujourd'hui de cette période, c'est ce qu'on m'a raconté. Parfois, rarement, j'ai un flash, une anecdote me revient. Mais je n'arrive pas à mettre une date dessus.

Cette grande tempête de décembre 1999, le Noël de la même année passé tout seul à Verneuil, chez ma mère qui venait de se séparer de mon père et qui avait pris ce petit appartement, tout cela on me l'a raconté. J'espère surtout que les gens m'aimaient bien à l'époque, que j'étais un petit gars sympa, que je n'ai déçu personne. Je crois me souvenir que je n'allais presque plus au lycée professionnel à Évreux et que je bossais en intérim, je conduisais un petit camion de livraison. Toute la fin de ma vie, je ne m'en souviens plus. J'espère laisser une bonne image à ceux qui m'ont connu vivant, avant ce fameux dimanche 24 septembre 2000.

Ce jour-là, j'étais de permanence à la caserne. Une journée comme une autre certainement, pour les détails, vous repasserez, ce que j'ai fait, avec qui j'étais... Ma mère, chez qui j'habitais encore avec Caro, ma copine, mon dernier amour, était partie pour le week-end à Tortisambert, près de Livarot. C'est sa mère, ma grand-mère donc, qui lui avait dit de venir pour se changer les idées et pour qu'elles fassent des confitures de mûres car chez elle, il y en avait plein. Et moi, j'adorais la confiture de mûres.

— Chouchou, tu m'as téléphoné vers 18 heures pour me dire que, si j'avais fini les confitures, je pouvais rentrer, me dit souvent maman.

C'est la dernière fois qu'elle a entendu le son de ma voix. Depuis elle doit se contenter de mes petits gémissements, de mes râles. Ce doit être terrible de ne plus se rappeler la voix de son enfant, la voix de quelqu'un qu'on aime. Elle ne m'en parle jamais mais je sais qu'un jour elle a regardé la cassette du mariage de mon frère où, paraît-il, j'ai fait un speech à l'église. Eh bien en entendant, après tant de mois, cette voix, en voyant son fils tel qu'il était dans sa vie d'avant, elle s'est mise à pleurer.

Moi, sur ce point, j'ai un avantage sur elle : sa voix, je l'ai toujours eue avec moi. Elle est en moi et m'accompagne depuis que je suis tout petit. Quand j'étais bébé et que je n'arrivais pas à m'endormir, elle me chantait des chansons, des comptines d'enfant, avec sa voix douce. Cette voix qui est toujours là et m'a accompagné pendant mes neuf mois de coma. Quand j'étais agité, maman me prenait la main, me caressait et me parlait. Elle me chantait ses chansons douces pendant des heures et ça, c'est beau. C'est fort. C'est plus fort que tout ce que l'on peut dire ou écrire pour prouver à l'autre qu'on l'aime.

La voix de ma mère, l'amour de ma mère, sa présence auprès de moi, chaque jour, chaque nuit quand il le faut, c'est son cadeau, le cadeau que chaque mère devrait faire à son fils. Et moi, comme cadeau, comme dernier mot, je lui ai dit : « Bon, eh bien maintenant que tu as fini les confitures, tu peux rentrer. »

Parfois, quand je repense à cela, j'ai envie de vomir. J'ai honte. On devrait toujours dire « je t'aime » à sa mère quand on la quitte, ou quand on l'a au téléphone, ne serait-ce que deux minutes. Même si on sait, si l'on est persuadé qu'on la reverra bientôt, il faudrait toujours terminer sa

phrase par : « Je t'aime. » Moi j'ai raccroché le
téléphone. Sur le coup je devais certainement être
content de ma réflexion à la con, mais aujourd'hui
je m'en veux et je ne peux même plus réparer
mon erreur.

Ce coup de fil à maman, c'était deux heures
avant mon accident. Je sais aujourd'hui que j'ai
eu un dernier appel avant de quitter la caserne,
alors que nous prenions un verre avec mes potes.
C'était Caroline, ma copine, qui me demandait de
rentrer rapidement. Je crois que nous avions prévu
d'aller au ciné ce soir-là. Aujourd'hui j'en veux à
Caro de m'avoir dérangé, de m'avoir dit de rentrer
tout de suite. Si je ne l'avais pas écoutée, je
n'aurais pas croisé ce putain de camion. D'abord
qu'est-ce qu'il faisait ce mec, avec son camion, un
dimanche soir sur une route de campagne trop
étroite ? Je ne l'ai jamais su. Lui aussi je lui en
veux d'avoir été là. Et je lui en veux d'autant plus
qu'il n'a jamais pris de mes nouvelles, alors que
moi, quand on m'a appris que j'avais eu un accident de la route, que j'étais paralysé et que je
serais un légume toute ma vie, ma première réaction a été de faire jurer à ma mère que je n'avais
tué personne, qu'il n'y avait personne à côté de

moi ce soir-là et que le chauffeur du camion n'avait rien eu.

Oui, ce mec que je ne connais pas, je lui en veux. S'il lit un jour ces lignes, je veux qu'il le sache. Il a brisé ma vie en s'engageant sur cette petite route de campagne avec son gros camion. Moi j'arrivais en sens inverse. Je roulais cool. De toute façon je roulais toujours doucement, j'avais tellement peur qu'il m'arrive un accident ! J'en voyais tellement à la télé. J'y étais tellement confronté lors de mes interventions avec les pompiers de Francheville ! Les accidents de la route, c'était ma hantise...

Quand je voyais mes potes qui se bourraient la gueule dans des soirées, qui reprenaient le volant et qui roulaient à toute allure, je leur disais toujours : « Vous êtes cinglés, un jour vous allez vous tuer. » Pour ça aussi je suis écœuré. Je n'ai jamais fait d'excès de vitesse. J'ai toujours mis ma ceinture. Je ne buvais pas quand je savais que j'allais prendre le volant et voilà, un camion, une route trop étroite que j'empruntais tous les jours pour aller à la caserne et l'accident, ce putain d'accident qui m'amène ici alors qu'eux continuent leurs conneries, ont des bagnoles qui roulent à 200. Et quand ils ont un coup dans le nez, ils jouent les cascadeurs, roulent vite, trop vite, à tombeau ouvert. Sauf que le tombeau, c'est souvent pour les autres. Elle est où la justice, dans tout cela ?

Ce soir-là, avec ma Clio, héritage de la séparation entre mes parents, je devais être à 50 sur cette route qui mène à Verneuil. J'étais presque rendu. Presque. J'ai vu un camion arriver en face. D'après le témoignage du chauffeur et les indices retrouvés sur place par les gendarmes, comme j'avais dû me rendre compte que le camion et ma voiture ne pourraient pas se croiser dans le virage, je suis, pour l'éviter, monté légèrement sur le terre-plein. Et c'est en montant là-dessus que mon pneu a éclaté et que j'ai perdu le contrôle de la voiture. Je suis allé m'encastrer au niveau des roues arrière de la remorque du camion. Je ne me souviens absolument de rien. Aucune image. Pourtant le choc a dû être d'une violence inouïe. Quoi qu'il en soit, ce mec m'a volé ma vie parce qu'il roulait sur cette route où il n'avait rien à faire. Ce mec m'a brisé même si je sais très bien qu'il n'y est pour rien et que c'est moi qui ai perdu le contrôle de ma voiture. Mais pour moi il n'avait rien à faire là. Et si je n'avais pas écouté Caro, je serais parti dix minutes plus tard et je ne l'aurais jamais croisé. Il est vrai qu'avec des « si »... N'empêche, souvent je me dis que ce n'était pas mon destin de finir comme ça.

J'avais vécu dix-neuf ans sans un seul souci. Je

voulais construire plein de choses avec Caroline, ma jolie Caroline. On s'était fait des tas de promesses. J'allais enfin réaliser mon rêve de gosse et devenir pompier professionnel. J'allais être le parrain du premier enfant de Guillaume. Je n'avais jamais été malade. Je n'étais jamais entré dans un hôpital pour me faire soigner...

Ce sont mes potes de la caserne qui sont venus me ramasser, me désincarcérer. Il paraît que je n'étais pas beau à voir, qu'il y avait du sang partout, que je me vidais sur la route.

Pendant ce temps, la mère d'un copain a téléphoné à ma mère. Ma pauvre mère qui était partie touiller ses confitures pour se changer les idées et pour, une fois de plus, faire plaisir à son Titi.

Puis ils ont prévenu mon père, mes frères.... Mon père, séparé de ma mère depuis quelques mois, vivait à Évreux. Il était donc tout proche de l'hôpital. Moi aussi j'étais tout proche, mais de la mort. Je suis sûr que je devais être là, tout près d'elle. Elle devait certainement me tendre les bras en me voyant agoniser et elle devait me dire : « Allez, viens, viens, c'est fini... »

Tous mes potes pompiers, tous les gars du Samu ont dû donner trois cents pour cent de leur énergie, de leur cœur pour me maintenir en vie, pour me sortir de là, pour refuser que je la rejoigne. Je suis sûr qu'ils ont dû tout faire pour se retenir de hurler leur colère, de laisser couler leurs larmes. Il paraît que quand le Samu m'a admis aux urgences de l'hôpital d'Évreux les mecs étaient livides, démunis. Parce que eux savaient déjà que j'étais foutu, que ma vie, même si elle ne se terminait pas tout de suite, était de toute façon fichue. Quand on arrive sur un accident et quand on voit la gravité des blessures, l'horreur du choc, on sait déjà si le mec qui est dedans s'en sortira ou a des chances de s'en sortir.

Pour moi, c'est sûr, ils devaient savoir, s'ils ont réagi comme ça. Quand ma mère est arrivée à l'hôpital vers 23 heures, on parlait déjà de me transférer vers le CHU de Rouen car mon état était trop grave, j'avais perdu trop de sang et le traumatisme était trop important. Ils ont même cherché un hélicoptère pour me transporter mais c'est finalement dans une ambulance du Samu que j'ai fait le voyage. Et là, avant de partir, les médecins se sont tournés vers ma mère en lui disant qu'ils ne savaient pas si j'allais tenir jusqu'au bout du trajet.

Alors, souvent, je me pose la question. Mais pourquoi suis-je encore là ? Pourquoi le dieu de la vie s'est-il acharné à me faire tenir pendant tous ces kilomètres qui séparent les deux villes ? Décidément, ce n'était vraiment pas ma journée. De toute façon je n'aurais pas dû être là ce jour-là. Je n'aurais jamais dû prendre cette route. C'est vrai, logiquement ce dimanche-là, je ne devais pas être de permanence. Mais comme un collègue avait un baptême dans sa famille, je l'avais remplacé. Pis encore, je devais finir ma permanence à 19 heures. Mais comme mon collègue a joué les prolongations, je suis parti avec plus d'une heure de retard et j'ai croisé ce camion. Vous voyez que ce n'était pas ma journée ! Quelquefois j'essaie de me souvenir de ce 24 septembre mais rien. Tout ce que je sais, c'est ma mère qui me l'a dit. Il a pourtant dû se passer des choses bien, dans cette journée. Ce n'est pas possible autrement ! On ne peut pas se lever un matin, déjeuner, se brosser les dents, partir bosser et finir le soir dans une coquille de survie du Samu, sans plus rien, sans visage, mort dans un monde de vivants.

Même ma mère qui m'a aperçu ce soir-là ne m'a pas reconnu tellement j'étais amoché, tellement j'étais tout bleu.

À mon arrivée à Rouen, toute ma famille était là, ma mère, mes frères, mon père, Caro. Quel spectacle pour eux ! Quelle fin de week-end ! Moi entre la vie et la mort, les chirurgiens qui disaient qu'il fallait attendre trois jours pour voir si j'allais m'en sortir et eux qui devaient être dans les couloirs à faire les cent pas, à attendre qu'une infirmière vienne leur dire « ça y est, c'est fini » ou « il est sauvé ». Vu mon état et après ce qu'avait entrevu ma mère, j'opterais plutôt pour la première hypothèse. Et tout ce cirque a duré trois jours ! Vous vous imaginez, vous, trois jours dans un hôpital à attendre, trois jours à angoisser à l'idée qu'on vienne vous dire qu'il n'y a plus rien à faire ?

C'est pendant ces trois jours de sursis où l'on m'a réanimé et réanimé sans arrêt que j'aurais dû partir. Longtemps j'en ai voulu à ma mère. Je croyais que c'était elle qui avait demandé qu'on me maintienne en vie, qu'on me réanime sans cesse pour garder l'espoir que je m'en sorte. J'étais persuadé que c'était elle. Mais elle m'a assuré que non. Bien sûr elle aurait voulu que je lui revienne comme avant, mais elle m'a surtout dit une chose que je n'oublierai jamais...

Au CHU de Rouen, quand elle s'est aperçue que de toute façon c'était foutu, que je me battais inutilement, elle a dit aux médecins :

— Laissez-le tranquille, maintenant, c'est fichu, laissez faire la nature.

Et là les médecins lui ont répondu :

— Mais, madame, Vincent n'est plus à vous. Il est majeur, c'est lui seul qui décide.

« Majeur » ! Quelle hypocrisie ! Dans l'état où j'étais, quelle décision pouvais-je prendre ? La nature est ainsi faite que lorsque notre heure est venue, on doit partir. Alors pourquoi user d'artifices pour reculer cette échéance ? Si ce jour-là à l'hôpital, j'avais été en mesure de leur dire « arrêtez, je vous en supplie », m'aurait-on écouté ? En tout cas ils n'ont pas écouté ma mère. Et cela c'est dommage. Car si l'être le plus proche de vous ne peut décider de votre vie en votre nom, alors qui le peut ? Pourquoi le corps médical décide-t-il à notre place ? Pourquoi les médecins se sont-ils acharnés sur moi pour me maintenir en vie ? De quel droit ? Pourquoi doit-on s'incliner devant leur décision qui n'est pas la nôtre ni celle de notre entourage ? Je comprends que pour les médecins une telle décision n'est pas facile à prendre, qu'il ne faut pas qu'il y ait d'abus. Mais dans mon cas, me faire vivre, forcer le destin pour me sauver à tout prix et faire de moi ce que je suis désormais était une connerie.

– II –

Après ces trois jours d'attente et de réanimation, il a encore fallu à mes proches attendre une
semaine, patienter, espérer. Mais les médecins ont
bien fini par avouer à ma famille, après avoir retiré
ma rate, réparé mon poumon, recousu mon foie,
ouvert ma boîte crânienne pour y traiter un
œdème, que de toute façon, si je m'en sortais, je
serais un légume. C'était dit en d'autres termes,
bien sûr, et ma mère a mis longtemps à réaliser
ce que cela signifiait parce qu'elle ne comprenait
pas, elle me voyait bouger dans mon coma. Elle
a dû en poser, des questions, aux médecins ! Elle
a dû les harceler pour qu'enfin on lui explique
sans ambages que j'étais « comme un ver de
terre ». Une expression qui l'a marquée, on peut
le dire ! C'est un interne qui lui a dit cela pendant
mon séjour à Rouen. Il a expliqué à ma mère que
j'étais comme un ver de terre que l'on coupe en

deux. Le ver est mort, mais les deux bouts bougent encore. « Eh bien, votre fils sera pareil. »

J'ose à peine imaginer ce qu'elle a dû ressentir ce jour-là. Son fils adoré, son petit coq transformé en vulgaire vermisseau. Cette image a dû la mettre dans une colère noire. C'est vrai, quoi, ils ne devraient pas employer de telles expressions, de telles comparaisons pour leurs patients. Mais peut-être font-ils cela pour se protéger. Pour eux mieux vaut annoncer le pire, comme ça, s'il y a un léger mieux, eh bien les familles auront une bonne surprise. Je ne pense pas qu'au niveau de la psychologie, ce soit la bonne méthode à employer.

Bref, de trois jours à une semaine, de l'histoire du ver de terre à ma chambre de réanimation, le scénario a duré un mois, un mois durant lequel on répétait toujours la même rengaine : « On ne peut pas se prononcer, il faut encore attendre... »

Puis un jour, un médecin est venu voir ma mère et a dit :

— Je crois que Vincent serait mieux à Berck, au centre hélio-marin. Il y a une place pour lui là-bas. C'est tellement rare qu'une place se libère qu'il faut saisir cette opportunité.

Et voilà comment, un peu plus d'un mois après mon accident, le 28 octobre 2000 exactement, je me suis retrouvé ici. Je n'étais pas dans cette chambre car j'étais dans le coma et encore sous assistance respiratoire. Ils m'avaient mis à un autre étage. Là où l'on accueille les plantes vertes.

Maman me dit souvent qu'elle a eu du mal à accepter le fait que je sois transféré ici. Quand elle est arrivée dans cet établissement, elle s'est promenée dans les couloirs. Elle n'avait jamais mis les pieds dans un lieu pareil, ma pauvre mère. Et c'est en arpentant les couloirs qu'elle a compris. En voyant toutes ces chambres, tous ces gens comme moi, ou pire que moi, elle a compris que mon état était finalement plus grave qu'elle ne le pensait. Si on est ici, à Berck, c'est que c'est grave, très grave. On ne vient pas ici pour un rhume ou une jambe cassée. Et quand ma mère s'est mise au bout de quelques jours à discuter avec les autres mamans, ce sentiment s'est vite amplifié. L'une avait son fils là depuis trois ans, l'autre depuis deux ans... Une autre, c'était sa fille, qui n'avait pas fait de progrès depuis plus d'un an. Là, maman s'est dit : « ça y est, je crois que c'est foutu ! » Mais je pense qu'en même temps elle devait se persuader : « Mais le mien va s'en sortir, il ne va pas rester comme ça. » Tous les parents, lorsqu'ils se retrouvent ici et qu'ils discutent entre eux de leur malheur, doivent forcément au bout d'un moment devenir égoïstes dans leur tête en regardant les enfants des autres et se dire que si le leur a résisté jusque-là c'est bon, il va se réveiller, il va retrouver ses facultés, il marchera de nouveau, parlera comme avant, revivra normalement.

Cette prise de conscience d'une mère ou d'un père à son arrivée ici doit être terrible. Terrible parce qu'ils s'aperçoivent que rien ne sera plus comme avant mais qu'il y a toujours de l'espoir, qu'il faut croire à cet infime espoir. Ce doit être un vrai bonheur pour eux, lorsque nous sommes dans le coma, de voir que l'on vient de bouger un doigt, d'avoir un petit tremblement, un battement de cils. Là, ils doivent aussitôt se remettre à espérer... C'est comme une barrière qu'ils se mettent à eux-mêmes pour ne pas prendre la réalité en pleine gueule. Ils savent quelque part que c'est fichu mais ils se disent : « Non, non, il y a encore de l'espoir ! Ce n'est pas possible, mon enfant ne sera pas comme ça ! Il va récupérer... »

Et, de fait, on récupère, parfois... quelque chose. Moi j'ai repris ma tête, mais je n'ai repris que ça. D'autres ce sont les jambes. Ils remarchent mais ce sont des légumes dans leur tête. Il faut les aider à manger, les aider à se laver. Ils ont des couches comme les bébés parce qu'ils ne savent plus ce que c'est que d'aller à la selle. Ils ne savent plus ce que c'est que de parler. Ils ne savent que crier. Je les entends dans les couloirs, dans leur chambre. Je les entends crier, brailler, hurler pour s'exprimer. Je n'aurais pas aimé être comme cela. Beaucoup de mères disent à maman : « Tu sais, Marie, tu as de la chance car Vincent a toute sa tête et au moins tu peux discuter avec lui. » Même si « discuter » est un grand mot pour parler de nos moyens de communication. Mais il y en a d'autres qui lui disent : « Moi, si mon fils avait toute sa tête je ne le supporterais pas, il souffrirait trop. »

Où est la vérité dans tout cela ? Qui dit vrai ? Moi je sais que ma mère aurait voulu que je parte dans les premières heures de mon accident, lors de mon transfert à l'hôpital ou lors de ces interminables journées de réanimation à Rouen. Mais je sais aussi que tout ce qu'elle éprouve ici avec moi, c'est fort, c'est très fort. C'est magnifique ce qu'on a vécu ensemble et que l'on vit encore, ici, avec maman. On parle de tellement de choses, on s'est confiés l'un à l'autre comme certainement jamais une mère ne le fait avec son fils et inversement. On a partagé la souffrance, les pleurs, les joies... Je suis certain que, malgré mon état, j'ai aidé ma mère à surmonter le drame qui la touche. Au début elle était paniquée, effondrée, ou anormalement optimiste. C'est à partir du moment où j'ai retrouvé ma tête que j'ai pu lui dire quoi faire, quoi dire, que j'ai pu la conseiller. Cela paraît idiot, mais c'est vrai. Souvent je la secouais, pas physiquement mais avec mes phrases : « Mais maman, c'est bon, arrête d'espérer, je ne remarcherai jamais, je le sais. » Et elle me répondait que je n'avais pas le droit de dire ça, que je n'avais pas le droit d'être défaitiste. Mais moi, lors des séances de kiné, j'entendais bien ce qui se disait autour de moi. Je savais que je ne remarcherais jamais, que je ne parlerais plus jamais, que je ne reverrais jamais, ne mangerais plus jamais seul, jamais, jamais...

Je pense en fait que les parents refusent d'affronter l'évidence, refusent d'accepter de nous voir comme ça et de savoir qu'on restera comme ça. Quand je suis sorti du coma, j'avais perdu près de vingt-cinq kilos et, au début, maman n'osait pas me toucher, de peur de me casser. Puis petit à petit elle a passé des heures à me tordre les jambes dans tous les sens, à me les masser, à me plier les genoux alors que j'étais allongé sur mon lit, et à me répéter : « Vas-y Vincent, tu peux y arriver. Tu vas remarcher ! » Et je lui répondais :

« Mais laisse tomber maman, ça ne marche plus, ça ne marchera plus, arrête, s'il te plaît, arrête ! » Je crois bien que je me moquais un peu d'elle quand je la voyais s'acharner sur moi, moi qui étais conscient de la réalité alors qu'elle, non. Elle a vraiment compris que je ne ferais plus de progrès quand, en septembre 2002, le Dr Rigaud est venu la voir en lui disant qu'il n'y avait plus d'espoir et que je resterais toute ma vie dans cet état, que Berck c'était fini, qu'il fallait partir, trouver un établissement spécialisé où l'on accueille les gens comme moi jusqu'à la fin de leurs jours. Là, elle a mis au moins une semaine à s'en remettre. Je sentais qu'elle n'allait pas bien, qu'elle avait du mal à accuser le coup, même si, quelque part, elle se doutait un peu de ce lamentable diagnostic. Parce que je le lui avais annoncé. Mais elle avait refusé de me croire, tout comme elle refusait encore de croire les médecins.

Au fond, après mon accident, mes neuf mois de coma ont été pour elle comme neuf mois d'espoir. Elle ne voulait pas admettre que mon état ne s'améliorerait jamais. Et au fond d'elle, elle a eu raison de s'entêter dans cette voie, malgré les médecins qui lui avaient dit que mon cerveau ne fonctionnerait plus comme avant. Car si elle avait abandonné, je n'aurais jamais pu communiquer avec mon pouce, je n'aurais jamais pu apprendre à refaire des phrases pour me faire comprendre lorsqu'elle me dicte l'alphabet. Elle s'est battue, elle était sûre que je pourrais un jour reparler, pas comme avant, mais que je pourrais communiquer avec elle. Alors évidemment, quand un jour j'ai refait une phrase, elle s'est remise à espérer pour le reste. Elle a harcelé les médecins, les infirmières, pour qu'on fasse tout ce qu'il était possible de faire afin que je remarche, que je reparle, que je redevienne son Titi adoré, son Chouchou d'avant. « S'ils se sont trompés pour ta tête, pourquoi ne se tromperaient-ils pas pour le reste ? me disait-elle tout le temps. Personne n'est infaillible, les médecins se sont trompés, tu vas remarcher. »

Mais moi je n'y ai jamais cru. Pourtant, l'acharnement de ma mère avait donné quelques résultats. Pendant tout mon coma, maman a été là près de moi. De 13 heures à 19 h 30, tous les jours. Elle me lavait, me massait, me racontait des tas de choses, des tas de trucs dont je ne me souviens pas, mais qu'elle m'a répétés par la suite. Elle chantait dans ma chambre, me mettait les musiques que j'aimais. Elle a tout fait, jusqu'à enregistrer sur cassette les voix de mes amis et de mes frères qu'elle me passait en boucle pour me faire souvenir, pour me rappeler mon passé, pour me dire que beaucoup de gens pensaient à moi. Et pendant toutes ces longues semaines où elle s'est impliquée pour que je me réveille comme après un long sommeil, elle pensait qu'au sortir de cela j'allais ouvrir les yeux, la regarder et lui dire : « Maman ! »

Eh bien non, ça ne s'est pas passé comme ça. Tout s'est fait par étapes, un pouce qui bouge, une attitude, un premier sourire. Elle me dit souvent que, la première fois que j'ai souri alors que je venais juste de sortir du coma, elle a pleuré. Exactement comme quand j'ai fait ma première risette de bébé. Une flambée d'espoir vite éteinte, car le lendemain, bien évidemment, je n'ai pas souri. Et pourtant, la connaissant, je me dis qu'elle a dû insister une bonne douzaine de fois. Déjà, le jour du premier sourire, c'était en juin 2001, elle avait couru jusqu'au bureau des infirmières pour leur dire : « Venez, Vincent vient de sourire, venez vite ! » Mais quand elles étaient arrivées, mon visage s'était refermé. Je n'ai souri que quinze jours plus tard, une nouvelle fois, pour le plus grand bonheur de maman, émerveillée, persuadée que son bébé repartait de zéro, s'ouvrait à la vie.

Ce jour-là, elle a décidé qu'elle allait tout me réapprendre. Elle ne cesse de répéter que, pour

53

elle, ce fut une seconde maternité, une nouvelle vie donnée après mon long coma. Car il paraît que ce sourire fut le premier signe important de mon éveil. Ce sourire, après neuf interminables mois passés chez les morts vivants, fut comme une résurrection. Mais cela ne suffisait pas à ma maman. Ces sourires, devenus de plus en plus répétitifs, lui ont suggéré une idée : communiquer avec moi. Alors elle s'est mise à me prendre la main, et à me poser plein de questions. « Chouchou, est-ce que tu m'entends ? Si oui, serre ma main. Chouchou, est-ce que tu as mal ? Si oui, serre-moi une fois. »

Mais elle n'avait pas de réponse, j'étais encore trop embrumé, trop jeune dans cette nouvelle vie pour comprendre, ou alors, si je comprenais, je ne pouvais faire ce que je voulais faire. C'est comme aujourd'hui, je comprends tout, je voudrais plein de choses, mais mon corps ne répond pas.

Et puis j'ai commencé à remuer mon pouce. Ce qu'il y a de plus fou dans tout ce que je vous raconte, c'est que de tout cela je ne me souviens pas non plus, et ça me désole. C'est exactement comme ses premières paroles, ses premiers pas, la première fois qu'on a mangé à la petite cuillère : ça non plus on ne se le rappelle pas. Vous pouvez chercher, puiser dans votre mémoire, vous ne vous souvenez pas de ce que vous faisiez bébé. Eh bien pour moi c'est pareil. Je ne me souviens ni de mes premiers pas, ni de mes premiers mots dans ma première vie, je ne me souviens pas davantage de toutes ces étapes de mon réveil, de mon éveil dans ma seconde vie.

Quoi qu'il en soit, quand maman s'est mise à croire que le fait de bouger mon pouce était une nouvelle et importante étape de ma reconstruction, elle s'est mise à me prendre la main tout le temps et à me parler, à me poser des questions.

Et comme les pressions de mon pouce se faisaient de plus en plus fortes, elle avait des raisons d'y croire. S'en est suivi une relation très intense. Car au fond de moi je sentais qu'elle était là et qu'elle voulait m'aider mais je ne pouvais pas m'exprimer pour le lui faire comprendre. Elle voyait bien que j'avais besoin d'elle, mais moi je n'arrivais pas à le lui dire. Quelquefois, avec mon pouce, le pouce de ma main droite, celui avec lequel je communique aujourd'hui, j'appuyais très fort sur sa main pendant tout un après-midi. Ma mère devait repartir ravie de l'hôpital avec le sentiment d'avoir avancé, d'avoir fait des progrès. Mais le lendemain, boum, patatras. Plus rien. Ma main ne ressentait rien, mon pouce ne remuait plus. Et ce, bien souvent, pendant plusieurs jours. Pourtant, maman n'a jamais baissé les bras. Elle a toujours insisté. C'est extraordinaire cette volonté, cette capacité de dire « je vais y arriver » et de mettre tout en œuvre, sans relâche, avec insistance, pour parvenir à son objectif. C'est une des grosses qualités de ma mère qui en a bien d'autres, mais celle-ci est un trait de sa personnalité que je ne connaissais pas avant. Avec mes frères, quand nous étions jeunes, elle était comme toutes les mamans qui aiment se faire respecter, qui font tout pour se faire aimer de leurs enfants. Mais elle n'avait pas ce pouvoir, cette force, ce caractère qui lui permet aujourd'hui de déplacer des montagnes, d'arriver à ses fins alors qu'elle se trouve, pourtant, devant un obstacle insurmontable.

Elle a passé des heures à me sentir, à essayer de me comprendre. C'est ainsi qu'elle m'a appris à communiquer avec elle, puis plus tard avec les autres. Comme je sortais du coma et que j'avais les yeux cousus, elle ne pouvait pas voir si je comprenais ce qu'elle disait, si même tout simplement je l'entendais chanter, me parler, vivre auprès de moi. Alors avec mon pouce qui bougeait et avec lequel je commençais à répondre à ses questions « une fois pour oui, deux fois pour non », elle s'est mise à croire qu'elle pourrait parler avec moi.

Un jour, elle m'a demandé :

– Chouchou, est-ce que tu te souviens de ton alphabet ?

Ma réponse a dû être terrible pour elle car je ne m'en souvenais plus. Alors pendant de longues semaines, elle m'a rabâché les lettres de l'alphabet. Je l'entends encore : « A, B, C, D... » Et elle recommençait, encore et toujours, « A, B, C, D... ». Le soir, elle n'avait plus de voix tellement elle était déshydratée à force de m'avoir parlé et d'avoir énuméré consonnes et voyelles. Puis elle a commencé à me dire des mots en les décomposant, puis plusieurs mots à la suite. Et quand j'avais compris le mot, je lui faisait savoir : une pression pour oui, deux pressions pour non.

Pendant ces six longs mois où elle m'a appris l'alphabet, où elle m'a tout réappris, les médecins, les infirmières passaient souvent la voir dans ma chambre pour lui dire : « Mais arrêtez, madame Humbert. Vous nous faites pitié ! Vincent ne pourra jamais parler, son cerveau est abîmé. Vincent ne retrouvera pas sa tête. » Je suis sûr qu'ils devaient la prendre pour une folle. J'espère au moins qu'ils ne se sont pas moqués d'elle. Car à force d'insistance, de remontrances déplacées des médecins qui lui rabâchaient sans cesse « arrêtez, en plus vous le fatiguez », elle pourrait aujourd'hui leur foutre une grande claque dans la gueule et leur dire : « Vous voyez, j'ai réussi, la foldingue a réussi. »

Car elle a réussi, ma maman. Je ne trouve pas les mots pour lui dire combien je la remercie d'avoir insisté, d'avoir gardé espoir qu'un jour je pourrais enfin lui dire les choses que j'avais sur le cœur. Ce jour, c'était le 3 mai 2002. Elle est arrivée dans ma chambre, comme d'habitude, en début d'après-midi. Comme chaque jour elle est entrée en me disant « salut Chouchou, ça va aujourd'hui ? ». Comme chaque jour elle m'a embrassé sur le front, longuement. Comme chaque jour elle a passé sa main dans mes cheveux, m'a caressé la joue. Et comme chaque jour elle s'est assise près de moi.

Moi, j'avais envie de lui montrer. J'avais envie qu'elle soit fière de moi. J'en avais rêvé toute la nuit. Il fallait que je le fasse. Alors j'ai bougé légèrement mon pouce. Elle a compris que je voulais lui parler, donc elle m'a pris la main. Et elle a commencé à énumérer l'alphabet en me disant : « Surtout, tu appuies sur ma main dès que tu reconnais la lettre ». Je ne sais pas combien de temps cela a duré, mais les consonnes, les voyelles, toutes ces lettres dans ma tête, je croyais que j'allais exploser. Elle égrenait l'alphabet, les let-

tres dansaient dans mon esprit. à un certain
moment, je me suis senti perdu. Tout ce que
j'avais révisé pendant mes longues heures d'insomnies, disparu ! Mais, une nouvelle fois, elle a
pris son temps et posé une à une, sur le cahier
qu'elle avait sur les genoux, les lettres que je choi-
sissais en appuyant de toutes mes forces sur sa
main, une main qui devenait mon lien avec elle,
le prolongement de moi, une main qui me reliait
à elle et qui ressemblait étrangement à un nouveau cordon ombilical : « M, A, M, A, N, J, E,
S, U, I, S, C, O, N, T, E, N, T, Q, U, E, T, U,
S, O, I, S, L, A » (Maman je suis content que tu
sois là).

Et là ma mère, ma maman, ma maman
d'amour, a posé son petit cahier à spirale. Dans
un grand souffle que seule l'émotion procure, elle
m'a serré la main très fort et elle a pleuré de
bonheur. Elle y était arrivée ! Et ces larmes dans
la voix pendant qu'elle me parlait, c'était une
lueur indescriptible, un ciel bleu, un soleil dans
ma sombre existence. Je la sentais tout près de
moi, effondrée, mais si heureuse. Et elle me parlait vite, si vite, de façon si désordonnée que j'ai
eu du mal à comprendre qu'elle me disait : « Ça
y est, Chouchou, tu parles, ça y est ! » Elle était
comme ce mec dans je ne sais plus quel film, qui

se lève de son fauteuil roulant et qui se met à marcher après des années de handicap.

Et de fait elle s'est levée, elle a quitté la chambre pour aller voir le Dr Rigaud et lui annoncer la bonne nouvelle. Elle devait être si fière, dans les couloirs de l'hôpital ! J'aurais aimé être là avec elle, près d'elle, à lui tenir la main, à voir son sourire, son bonheur, sa rage. Quand elle est arrivée dans le bureau du médecin, elle lui a dit :

— Docteur, j'ai eu une phrase avec Vincent, venez vite.

Et là, il l'a encore une fois regardée avec un demi-sourire en coin et lui a répondu :

— Madame Humbert ! Combien de fois vous ai-je demandé d'aller voir un psychologue ! Vous faites une fixation sur Vincent. Il faut couper le cordon ombilical, madame Humbert !

Ma mère est restée calme. À sa place, je crois que je lui aurais démonté la tête à ce mec qui se dit spécialiste et qui prenait maman pour une folle. Elle, elle l'a juste supplié de venir, ne serait-ce que cinq minutes.

— Venez cinq minutes, Vincent va vous parler.

Il a accepté. Je crois de toute façon que, s'il ne l'avait pas suivie, elle l'aurait amené par la peau du cul, elle ne l'aurait pas lâché.

C'est alors qu'ils sont entrés tous les deux dans ma chambre.

– Chouchou, je suis avec le Dr Rigaud, m'a dit maman.

– Docteur, prenez-lui la main, prenez ce cahier, ce crayon et dictez-lui l'alphabet. Vous verrez, Vincent veut vous parler. Chaque fois qu'il appuiera sur votre main, inscrivez la lettre mais faites-le tout seul, des fois que vous croyiez que c'est moi qui invente les mots.

Je la sentais remontée. Prête à lui décocher une droite. Il ne fallait pas que je la déçoive.

Le Dr Rigaud s'est installé à côté de moi.

– Alors comme ça, tu veux me parler ?

Je sentais qu'il faisait ça pour faire plaisir, pour avoir la paix et pour, une fois de plus, prouver à maman qu'elle devenait de plus en plus dingue. Mais malgré cela, il a commencé à me dicter les lettres de l'alphabet, avec une voix qui avait changé d'intonation. Ce n'était pas la voix que j'entendais d'habitude lorsqu'il venait dans ma chambre avec les infirmières. Son timbre était comme assourdi, prudent. « A, B, C, D, E, F, G, H, I, J, K, L, M, N, O, P, Q, R, S... » Première pression. Il m'a alors interrogé.

– C'est bien un S que tu veux, Vincent ?

J'ai appuyé une seconde fois pour valider sa demande. Je le sentais beaucoup moins sûr de lui. Sa main se raidissait au fur et à mesure que je lui dictais la phrase que j'avais révisée depuis des jours, la phrase qui lui ferait comprendre que je n'étais pas qu'une plante verte que l'on torche, que l'on soigne, que l'on retourne. Je ne voulais être ni vulgaire ni agressif, je voulais juste lui faire comprendre que désormais, j'allais me battre pour redevenir le vrai Vincent Humbert, celui qu'il n'avait jamais connu.

Au bout de quelques minutes, j'ai retiré ma main de la sienne. J'avais terminé ma phrase. Et il a lu sur son cahier : « Salut, monsieur Rigaud ! »

Lui aussi, comme ma mère, a posé le crayon, posé le cahier. Mais il n'a pas pleuré de joie. Il s'est simplement retourné vers maman et lui a dit d'une voix hésitante :

— Bravo, madame Humbert.

Puis il s'est levé et il est sorti de la chambre. Il devait certainement être vexé ou peut-être tout simplement sous le choc. Plus tard, il a dit à ma mère que, dans toute sa carrière, il n'avait jamais vu cela. Jamais il n'aurait pensé que je serais capable de le faire, capable de récupérer toute ma tête.

En ce 3 mai 2002, j'entrais dans les annales du centre hélio-marin de Berck-sur-Mer comme le seul patient à avoir récupéré si vite autant de facultés intellectuelles.

Cela dit, d'accord j'ai récupéré, d'accord j'étais un cas désespéré et aujourd'hui je peux de nouveau communiquer, mais tout cela je le dois à qui ? À la médecine ? Certainement pas ! Si aujourd'hui je pense, si aujourd'hui j'écris, je le dois à ma mère et seulement à elle et à sa volonté démesurée de vouloir me réapprendre à vivre. Je suis même persuadé que si les parents de tous les gens comme moi s'investissaient autant qu'elle l'a fait pour moi, eh bien une grande partie d'entre eux retrouveraient leur tête et une forme de parole.

Bien sûr, c'est un travail de titan, un travail pesant qui demande du temps, un temps dont les infirmières ou les éducateurs ne disposent pas. Quelquefois, même, c'est décourageant parce que tu ne vois pas les progrès de ton enfant, tu penses qu'il ne veut plus ou qu'il ne peut plus avancer. Mais, comme ma mère, il faut insister, recommencer et ne pas perdre espoir.

Six mois, pendant six mois maman n'a pas perdu espoir. C'est long, six mois. Mais elle était tellement persuadée qu'elle y arriverait ! Même pendant mon coma, elle avait cette envie de réussir, de me faire vivre et de vivre à mes côtés comme si je n'avais qu'une simple angine. Souvent, quand elle mettait mon disque de Bob Marley à fond dans ma chambre, les infirmières venaient la voir pour lui dire d'arrêter la musique, que ça allait me fatiguer, me perturber. Elle leur rétorquait : « Mais non, Vincent a toujours aimé la musique forte, donc je lui mets sa musique forte. »

Apprendre, réapprendre à communiquer, faire des phrases m'a redonné du courage, m'a poussé à me battre dans l'espoir de redevenir celui que j'étais. Nous avons beaucoup conversé, avec maman. Puis j'ai conversé avec les éducateurs, les infirmiers. Mais ça ne s'est pas fait du jour au lendemain. Il a bien fallu deux à trois mois pour que mes phrases deviennent cohérentes. Et afin d'aider tous ceux qui venaient me voir pour discuter, l'un des ergothérapeutes avait affiché quelques consignes au-dessus de mon lit.

Pour communiquer avec Vincent :
Oui et non par mouvement de la tête. Pour les mots et les phrases, mettre votre doigt entre son pouce et son index au fond de la commissure. Dire lentement l'alphabet. Vincent fait une pression sur votre doigt à la bonne lettre. Répéter la lettre et Vincent confirme ou non. Si non : redire les lettres à l'envers. Au fur et à mesure, le mot se formera.

Ce texte, que tout le monde regardait, a bien servi à ceux qui ont voulu échanger quelques mots avec moi. Des mots, au début. J'arrivais parfois à en faire trois ou quatre à la suite, pas toujours avec l'orthographe exacte d'ailleurs, mais je n'arrivais pas à faire des phrases construites, ces phrases qui étaient dans ma tête, dans mes pensées, je ne parvenais pas à les transcrire au-delà d'une vingtaine de lettres. Pourtant, dès que ma mère quittait l'hôpital le soir, je m'endormais en y pensant. Et la nuit, comme je ne dors pas beaucoup et que de toute façon ils viennent me retourner toutes les trois heures, je réfléchissais. Je m'entraînais à apprendre cet alphabet par cœur. Dans l'ordre, puis dans le désordre. Les voyelles d'un côté, les consonnes de l'autre. Et le matin après ma toilette, dès qu'ils m'emmenaient à l'ergo ou en kiné, je révisais encore. Je voulais absolument faire des phrases. J'avais tellement de choses à dire, tellement de choses sur le cœur ! Bizarrement, pourtant, mes premières véritables phrases furent plus des consignes ou des ordres destinés à me soulager : « Gratte-moi le nez », « Décoince mon oreille », « J'ai mal aux jambes », « Va leur dire que je suis sale »...

Le plus drôle dans tout cela, c'est que toutes ces phrases, en tout cas les premières, ma mère les a écrites. Eh oui, forcément ! Essayez donc de dicter l'alphabet à quelqu'un, de composer des mots qui deviennent des phrases et de retenir tout ce qu'il vous dit. Pas évident ! Alors, au début, maman avait toujours un carnet sur elle pour écrire et retenir ce que je lui disais. Et ces carnets, elle les a conservés. Elle y tient comme à la prunelle de ses yeux. Tu parles, il y a toute ma nouvelle vie dedans.

Ces carnets, c'était comme ces livres blancs qu'on offre aux parents à la naissance de leur enfant, où ils notent son premier regard, son premier « areuh », où ils collent sa première mèche de cheveu. Ces carnets à spirale, pour maman, c'était comme dans la chanson, son bonheur en lettres capitales avec mes premiers mots, mes premières phrases de ressuscité. Parfois maman me les relit, aujourd'hui, comme pour se souvenir du bon vieux temps, du temps où je n'étais pas encore tout à fait conscient de mon état, du temps où j'étais persuadé qu'un jour je remarcherais, qu'un jour je reparlerais, qu'un jour...

Mais au fil des semaines, à écouter les infirmières, les docteurs, les kinés qui m'entouraient, je me suis vite rendu compte que tout cela n'était qu'un rêve, un rêve fou.

D'entendre les autres faire des progrès, de peiner à communiquer avec ceux qui s'occupent de moi ici, ne m'a pas aidé et m'a vite amené à me dire « pourquoi moi, pourquoi je resterais toujours comme ça, pourquoi Yoann le gars d'à côté fait des progrès et pas moi ? ».

Car il y a une chose horrible à vivre, quand on est ici. C'est un peu comme à l'école ou au tennis, quand vous êtes dans un même cours, que certains réussissent tout de suite, que d'autres à force de travailler ne s'en sortent pas mal mais que les derniers n'y arrivent pas, bûchent, trébuchent et finalement se résignent. Eh bien ici c'est la même chose. Quand nous tous, je veux dire tous les malades du centre, nous nous retrouvons en salle de kiné ou en salle d'ergo, nous ne nous voyons pas. Enfin, pour la plupart car certains ont la chance d'avoir encore la vue. Les autres ne se voient pas mais entendent tout ce qui se passe. Yoann et Xavier j'entends bien qu'ils font des progrès. Nicolas, je sais qu'il bouge plus que moi. Bastien, qui est resté moins longtemps que moi dans le coma, je sais qu'il va plus vite que moi dans tout ce qu'il entreprend. La preuve, il mange déjà. Il a de la chance. Moi, depuis mon réveil, je ne rêve que d'une chose : des bons petits plats de maman, de sa paella, de ses lasagnes. Depuis le 24 septembre 2000, et encore je ne me rappelle pas ce qu'il y avait au menu ce jour-là, je n'ai plus jamais mangé. Ma seule nourriture, c'est cette sonde qui entre dans mon ventre et qui m'envoie du lait dans l'estomac. Du lait et un peu d'eau. Et dire que quand j'étais bébé, il paraît que je ne buvais jamais de lait. J'étais allergique au lait ! Il a fallu que ma vie bascule pour que je me mette à boire du lait et à faire des choses que je n'avais jamais imaginées. Comme d'aller à l'hôpital. Je ne savais pas ce que c'était que d'être dans un lit toute une journée, d'être obligé d'appeler au secours parce que le chauffage est trop fort, parce que mon oreiller a glissé, parce que j'ai mal, j'ai mal et j'en ai marre. J'aimerais tant revenir en arrière, me réveiller, sortir de ce cauchemar qui dure, qui dure, reprendre ma vie où elle s'est arrêtée et revoir ma Caro...

Je l'aimais comme un fou, ma Caro, mon premier véritable amour, mon seul amour. Je sais qu'aujourd'hui elle est avec quelqu'un d'autre, qu'elle a refait sa vie, loin de moi, sans moi. Je ne lui en veux pas. J'ai même souhaité qu'elle me quitte pour vivre, continuer à vivre, même si cela me fait du mal de l'avoir perdue. Mais il faut la comprendre, elle que j'aimais, elle qui m'aimait et qui du jour au lendemain s'est retrouvée avec une plante verte défigurée près d'elle. Car elle est restée près de moi plusieurs semaines, ici à Berck. Après mon accident, elle est venue vivre chez ma

mère, dans l'appartement que le centre hélio-
marin met à disposition des parents dont l'enfant
est hospitalisé ici. Comme j'étais dans le coma, je
ne m'en souviens pas mais je sais qu'elle était là
et qu'elle a dû attendre, attendre et comme ma
mère espérer qu'un jour, je reviendrais à la vie.
Elle aussi a dû être déçue en s'apercevant que de
toute façon je ne serais jamais plus comme avant,
qu'on ne pourrait plus rien construire ensemble
et que toutes les promesses qu'on s'était faites, je
ne pourrais plus les tenir, à cause de mon état.
Alors elle est partie, elle est retournée au village
où l'on s'était connus. Je suis sûr que si j'avais été
comme Maxime, le mec qui était dans la chambre
avant moi et qui a retrouvé ses jambes et une
partie de sa tête, elle serait restée.

Mais là non. Ce n'était pas possible. Ce n'était
pas humain.

Le cœur gros et des larmes plein les yeux, elle
a un soir confié à ma mère qu'elle ne pourrait pas
rester auprès de moi. Qu'elle ne le supporterait
pas. Maman l'a compris, elle l'a même encouragée
à partir. Moi j'ai eu du mal à accepter sa décision,
puis j'ai admis que si les rôles avaient été inversés,
j'aurais fait comme elle. Je n'aurais pas supporté
non plus de vivre cette vie.

Que Caro me quitte, je crois que je m'y étais
préparé. Ce que je n'ai jamais pu encaisser par

contre, c'est la manière, les mots qu'elle a utilisés pour me l'annoncer. Car, après avoir donné les raisons de son départ à ma mère, elle est venue me voir pour me dire, à moi aussi, qu'elle n'en pouvait plus et qu'elle préférait tout arrêter pour refaire sa vie. Dans le fond je la comprenais, mais alors, plutôt que de rester ici pendant plus de six mois, elle aurait mieux fait de partir avant que je me réveille ! Elle m'a offert quelque chose d'indescriptible quand je suis sorti du coma. Je ne me rappelle pas nettement, mais sa présence en plus de celle de ma mère me faisait du bien. C'était comme une fleur qui s'ouvrait au soleil le matin quand elle était près de moi, et qui se fermait le soir quand elle partait. Eh bien cette fleur est définitivement fermée. Caro, sans le savoir, ou même si maintenant elle le sait, car depuis je lui ai écrit, m'a fait du mal quand elle est partie, même si je redis que je comprends pourquoi elle l'a fait. Alors, pour expliquer ma rancœur, je lui ai écrit ce que j'avais sur le cœur. C'est ma mère qui a rédigé la lettre. Elle ne voulait pas l'envoyer. Elle m'a dit : « Tu ne peux pas lui dire cela, tu ne peux pas ! » Le contenu de cette lettre, comme celui d'autres lettres que j'ai pu écrire à mes proches, je ne vous le dirai pas, par respect pour leur destinataire. Parce que eux et moi avons aussi droit à un jardin secret. Mais en gros j'ai clairement annoncé à Caro que je ne voulais plus jamais la voir, que je ne voulais plus jamais avoir de ses nouvelles. On oublie comme on peut...

Ma vie dans cet établissement est devenue terrible, sans Caro. Ma mère était bien là, mais pendant plusieurs semaines j'ai été comme anéanti. Et comme tout ne se passait pas très bien ici, la fête était complète. Qu'est-ce que j'ai pu râler après les infirmières et les aides soignantes, sans parler des stagiaires ! Quand je les entendais entrer dans ma chambre et me dire « bonjour Vincent », je savais bien qu'ils ne prenaient pas la peine de regarder ma main, pour voir si j'avais quelque chose à leur dire. Alors j'ai été obligé de leur mettre un mot de rappel : « Regardez ! Si ma main bouge, c'est que je veux vous parler. » Des semaines et des semaines ce petit manège a duré, et chaque fois qu'une nouvelle ou qu'un nouveau arrivait il fallait recommencer.

Parce qu'à eux, j'ai beaucoup de choses toutes simples à leur dire. Leur dire que j'ai froid et qu'il faut remonter ma couverture, que j'ai un poil coincé dans mon pénilex et que ça me fait horriblement mal.

J'égrène des messages chaque fois que je le

peux pour laisser mes consignes. Et j'y mets les formes ! « Michel, excuse-moi de gueuler pour les soins de bouche, c'est vrai que ça me fait du bien mais il faut que tu aspires après si c'est possible. J'ai horreur de ce goût dans ma bouche et je n'arrive pas à décoller mes crachats... » « Karine, fais attention à mes lèvres quand tu fais mes soins de bouche, ça me fait mal. Je suis délicat, que veux-tu... » « Christelle, peux-tu prendre ma main pour parler, je n'aime pas bouger mon pouce dans le vent, je vous le dis chaque fois, il n'y a que Francine qui a pigé... » « Dites au stagiaire de ne plus me faire ma toilette, il me fait peur, je crains qu'il ne me mette du savon dans les yeux... » « Merci de bien vouloir fermer la porte la nuit pour que je puisse me rendormir parce que l'équipe du matin allume la lumière du couloir et ça me réveille... » Des petites notes, j'ai dû en faire plus d'une centaine. C'est simple, je crois qu'au début j'en faisais une chaque soir, avec ma mère, avant qu'elle ne parte !

Malgré cela, je les aime bien, toutes ces infirmières, ces infirmiers et aides soignants qui s'occupent de moi. Le personnel hospitalier, ici à Berck, je ne sais pas si c'est pareil dans tous les hôpitaux, est vraiment extraordinaire. J'ai comme tout le monde mes préférés, Zaza, Mimi, la dame de la nuit, Lætitia, Christelle, Renée-Anne,

Frédéric, Michel... et pardon si j'en oublie. Mais comme j'ai mon caractère et que j'ai aussi la chance d'entendre tout ce qui se dit autour de moi, de percevoir toute la méchanceté que certains ont en eux, il y en a également que je déteste. Je n'ai pas besoin de les citer, ils se reconnaîtront.

Pour eux, je ne suis qu'un sale gosse qui a pris la grosse tête depuis qu'il a écrit au président de la République. S'ils savaient combien je me fiche de tout ce qu'ils disent, de tout ce qu'ils pensent. La seule chose que je n'accepte pas c'est qu'ils se foutent de ma mère, qu'ils la critiquent. Là, je n'admets pas. Alors je dis à maman d'aller les voir. Mais elle n'ose pas, ou elle me dit « mais laisse-les dire, ils peuvent bien penser ce qu'ils veulent, l'essentiel est de vivre au mieux, Vincent ».

Car malgré tout, c'est vrai, je tente de vivre le mieux possible. Avec mon handicap, avec ces douleurs qui sont en moi, sans cesse. Ces douleurs, j'ai du mal à les décrire. C'est un peu comme si j'avais tout le temps des crampes. Je sens ma jambe se raidir, mon bras me faire mal, mais ce n'est pas comme lorsque j'avais mal avant. La douleur n'est pas la même, elle est plus intense, plus concentrée sur une partie de mon corps. Comme je ne me plains pas, les autres ne peuvent pas savoir ce que je ressens. Il m'est arrivé, pourtant, de prendre la main de ma mère, de la serrer très fort parce que c'était insupportable et de demander à maman de me faire un câlin pour me soulager. Mais en temps normal, il faut vraiment qu'on me le demande pour que je dise si et où j'ai mal. J'ai malheureusement appris à vivre avec cette douleur. Et comme ici ils sont un peu radins avec les médicaments ! Enfin c'est le sentiment que cela me donne. Ainsi, quand je peine à respirer, ils me disent que ça va passer. Quand je vomis, ils disent que c'est neurologique. Au fond de moi, je pense qu'ils ne savent pas. C'est vrai, je ne suis pas un patient comme les autres, mon cerveau a été gravement endommagé, alors ils préfèrent dire « c'est neurologique ». Il faudra bien qu'un jour, des spécialistes percent le mystère du cerveau. Cela en sauverait plus d'un qui, comme moi, a eu de graves séquelles et qui, de jour en jour et avec l'amour d'un proche, a retrouvé sa tête, toute sa tête, mais pas le reste. La preuve que je dis vrai, c'est qu'au début, quand j'étais en réanimation, ils disaient toujours à ma mère que je ne retrouverais jamais ma tête, que mon cerveau n'avait pas assez d'électricité. Ils ont bonne mine, aujourd'hui, avec leur manque d'électricité ! La seule chose qu'ils trouvent à dire quand on leur demande « pourquoi étiez-vous si certains que Vincent ne retrouverait pas sa tête ? » c'est : « Vincent est une exception. »

Eh bien non ! Je refuse cette réponse, cette explication. Si pour moi cela s'est passé comme ça, pourquoi ne serait-ce pas pareil pour les autres ? Pourquoi se contentent-ils d'un diagnostic si catégorique alors qu'ils savent aujourd'hui qu'ils peuvent avoir tort ? J'ai beaucoup parlé de tout cela avec le Dr Rigaud, mais même lui n'avait pas la réponse. De toute façon, personne n'a de réponse à me donner. La seule chose que j'ai toujours sue, depuis mon réveil, c'est que je n'arriverais pas à redevenir comme avant. Je n'ai plus de muscles, je suis resté trop longtemps dans la galère pour m'en sortir. Un jour, je me rappelle avoir dit à mon père qui était venu me voir – mon père vient généralement une fois par mois, le dimanche après-midi :

– Je sens que je ne vais pas y arriver. Tu vas voir, à la prochaine synthèse, ils vont me foutre dehors car je ne fais plus de progrès. La seule chose que je peux contrôler, c'est ma tête.

– III –

Il y a des jours, j'aurais préféré ne pas avoir
retrouvé ma tête pour ne pas penser à tout ce à
quoi je pense dans la journée, et même la nuit.
Avec le temps, mon envie de me battre s'est atté-
nuée, presque éteinte. Chaque fois que je m'aper-
cevais que mon état ne s'améliorait pas, je prenais
un nouveau coup de canif, une nouvelle blessure
morale.

Ainsi, lorsque je suis allé à Lille pour mes yeux,
j'étais plein d'espérance. Je me disais : je vais
peut-être revoir ! Depuis le temps que j'avais les
yeux cousus, depuis tout ce temps où je vivais
dans la pénombre, cette visite à l'hôpital de Lille
représentait un véritable espoir. J'ai voulu bien
m'y préparer. Je voulais montrer le meilleur de
moi. Un garçon fort, intelligent, déterminé.
J'avais même demandé à ma mère de me couper
les cheveux et de tailler mon bouc. Mais il y eut

le voyage Lille-Berck. Ce n'est pas loin en voiture, mais pour moi, ce fut toute une expédition. J'aurais tant voulu y aller en fauteuil ! Mais, dans mon état, ce n'était pas prudent. J'ai fait le trajet allongé. Alors je me suis dit que cette journée allait être une journée de merde. J'avais déjà peur du résultat. J'avais raison. Je suis ressorti de là-bas avec les yeux décousus, mais je ne voyais pas comme je l'avais imaginé. En fait, pour que je distingue les choses, il faut que je sois à quinze ou vingt centimètres et là, je perçois des contours. Au milieu, c'est flou. C'est flou et noir et pourtant la lumière, quand elle est trop forte, me fait mal, me brûle les yeux. Alors il faut souvent me les nettoyer, me mettre des gouttes pour me soulager. Seule maman sait bien le faire. Parce qu'elle, elle prend son temps.

Mais maman ne sera pas toujours là près de moi. Je vois bien qu'elle commence elle aussi à désespérer. Elle ne le dit pas, mais je le sens. Quand elle entre dans ma chambre, qu'elle franchit le seuil de ma porte, elle a toujours cette même façon de me dire « bonjour Chouchou », mais après, dans nos discussions qui deviennent de plus en plus longues, je sens bien qu'elle commence elle aussi à s'apercevoir que c'est foutu.

Pendant l'été 2002, je lui ai dit :

— Prends le calendrier et note tout ce que je

fais aujourd'hui, tous les progrès que j'ai accompli, tout ce que je n'arrive pas encore à faire. Note-le sur le calendrier et dans un an on verra où j'en suis.

Moi j'étais déjà persuadé que je ne reverrais jamais l'appartement de Verneuil, ni la Normandie. J'étais sûr et certain qu'un an plus tard je serais encore dans le même état. L'état qui est le mien aujourd'hui. Ah, c'est sûr, j'ai toute ma tête, j'entends parfaitement, j'exerce ma mémoire. Cette nuit, comme je ne savais pas quoi faire, j'ai appris à classer tous les mois de l'année par ordre alphabétique. Aujourd'hui je peux vous dire que ça commence par août, puis avril, décembre, février, janvier, juillet, juin, mai, mars, novembre, octobre et septembre. Et hop ! Ça vous épate, hein ! Je sais, cela ne sert à rien, mais moi ça me fait de l'exercice.

Donc, comme je vous le disais, question tête j'ai tout ce qu'il faut. De temps en temps je vais même jusqu'à dire à maman : « Tu vois, quand je suis entré ici j'étais un couillon, j'en ressortirai intelligent. » Seulement l'intelligence, ça ne fait pas tout. Je suis content d'avoir toute ma tête, de comprendre tout ce qu'on me dit parce que ça m'aide. Mais comme le reste ne suit pas... C'est un peu comme une belle voiture. Vous pouvez lui mettre un ordinateur de bord, de beaux sièges en cuir et une boîte six vitesses, si elle n'a pas de moteur, elle n'ira pas loin. Eh bien moi c'est pareil. Je ne peux bouger que très légèrement ma tête, ma main droite et c'est tout. Mon bras gauche, je n'arrive pas à le contrôler. De temps en temps il ne répond plus et me fait souffrir. Je ne vois pas, je devine, je tente d'entrevoir les choses et de me souvenir comment c'était avant. Je n'ai plus d'odorat, je ne mange plus. Je suis allongé sur mon lit presque tout le temps. Le matin on me lave, on m'habille, on me met dans mon fauteuil et l'on me sangle pour ne pas que je tombe. Mes bras sont posés sur des guides en mousse, et j'attends. J'attends que la journée se passe. Deux fois par semaine je vais chez le kiné pour faire travailler mon bras, ma main, pour apprendre à respirer. Deux fois par semaine je vais voir Virginie, l'ergothérapeute. Elle a tenté de m'apprendre à faire des mots avec l'ordinateur. Mais je ne veux plus, je vais plus vite avec mon pouce. Alors on parle, de choses et d'autres, on fait des jeux, elle me fait travailler ma mémoire car elle voit bien que ces petites balles en mousse que je dois prendre avec ma main, que tous les exercices qu'elle veut me faire faire, ça ne m'intéresse plus. Au début je prenais du plaisir à aller la voir car je me rendais compte des progrès que je faisais mais depuis près d'un an, je sais bien que rien n'évolue. Alors j'y vais quand même et l'on discute. Ou j'écoute les autres.

J'adore écouter les ragots des autres. Je pourrais presque écrire un livre sur la vie sentimentale et sexuelle de tout le personnel de ce centre. Car quand ils me font mes soins, quand je suis ici en ergo, ou en kiné, les gens parlent autour de moi. Certains savent très bien que je comprends tout, que j'entends tout, que j'analyse tout. Mais d'autres ne voient en moi que ce mec sur son fauteuil qui ne dit rien et qui n'a comme unique réaction qu'un mouvement de tête ou de pouce. S'ils savaient ! Heureusement pour eux que je ne suis pas une balance. Car quand j'entends l'un dire de l'autre que c'est un enc... ou qu'Untel dit à un autre « je me la ferais bien celle-là, elle doit être bonne », je pourrais aller tout répéter. Eh bien non. Je reste secret. Je ne vois pas, je ne fume pas, je ne cause pas, mais j'entends tout, ça pourrait faire le titre d'un film. Quelquefois ces situations me font rire, d'autres fois un peu moins. Surtout quand des réflexions désagréables touchent quelqu'un que j'aime bien ou que j'apprécie. Mais ces moments de distraction qui ne durent qu'une heure ou deux par jour ne me font pas oublier la vie de merde qui est la mienne. Car tout le reste

du temps, je suis dans ma chambre à « regarder »
la télé, à attendre ma mère. Ma vie, c'est ma
chambre. Lever 6 heures, les premiers médicaments, la toilette, des soins toutes les deux ou
trois heures, quelques visites, beaucoup de douleurs physiques et morales et puis c'est tout. Ai-je
fait quelque chose de mal pour mériter cela ?
Chaque jour je me dis que non. Chaque nuit, dans
mes longues heures d'insomnies, je me persuade
que je n'ai rien fait de mal, que je ne devrais pas
être là.

Alors, depuis que je n'ai plus d'envie, à part
celle de mourir, presque plus rien ne m'intéresse.
Au début je demandais à ma mère de m'acheter
des disques ou des cassettes mais c'est fini, c'est
comme si je m'étais résigné. Enfin, pas complètement... La semaine passée, un copain m'a rap-
porté une cassette du spectacle de Bigard. Je la
connais par cœur cette cassette, mais j'aime bien
l'écouter et la réécouter. Le soir, quand ma mère
est sur le point de partir, je lui demande de me
la mettre. Et, à chaque sketch, je rigole à l'avance.
Il m'éclate, ce mec. C'est le seul humoriste qui
dit les choses comme nous les vivons. Dans la
noirceur de ma vie, passer un moment à écouter
ses histoires me détend, ça me fait penser à autre
chose que mon quotidien. De temps en temps
même, je m'imagine dans la salle, j'essaie de

deviner quelle tête il a, ce Bigard, car je ne m'en souviens plus. Mais après tout sa tête, je m'en fous, le principal c'est qu'il me fasse rire. C'est mon système à moi pour me détendre, pour m'évader de cette chambre. C'est comme avec Jean-Luc, l'un des aides soignants. Lui aussi est un rigolo, lui aussi me fait rire, me raconte plein de conneries. Heureusement qu'il est là, ce type est un vrai rayon de bonheur. Toujours le mot qu'il faut, la petite phrase pour me réconforter quand je ne vais pas bien. Ces moments de détente-là sont obligatoires dans l'existence d'un malade handicapé, paralysé, qui passe de son fauteuil au lit et du lit au fauteuil.

C'est pour cela aussi que je « regarde » beaucoup la télé. De la fin de la matinée jusqu'au soir, je suis incollable sur les programmes des six chaînes. Avec une télécommande que l'on m'a bricolée, je peux changer les chaînes comme je veux avec mon pouce. Au début de mon séjour ici je n'avais pas la télévision. Ma mère a été obligée d'apporter la sienne. La télé, on me la colle à trente centimètres de moi, j'ai la télécommande sur laquelle je peux appuyer avec mon doigt et roule ma poule, je peux entendre tout ce qui se passe. Ce que je préfère, ce sont surtout les jeux comme « Pyramide », « Questions pour un champion » ou « Le Maillon faible ». C'est marrant que je bouffe autant de télé ! Avant je ne la regardais jamais. Je n'avais pas le temps, j'étais trop occupé. Aujourd'hui c'est mon seul loisir, ma seule compagnie quand ma mère n'est pas là. Je découvre ou redécouvre plein de choses, plein d'émissions, ou de films... Quand j'étais gosse et qu'avec mes frères on voyait ma mère regarder *La Petite Maison dans la prairie*, on se disait : « Attention ! Dans cinq minutes elle va pleurer, avec son feuilleton à la con. » Eh bien aujourd'hui, je ne rate pas un épisode de la famille Ingals. Je trouve ça bien, c'est la vie, avec ses joies, ses drames et puis c'est une manière pour moi de retourner dans mon enfance. Quand j'entends le générique, je me revois dans la cuisine à Francheville, avec maman en train de nous mitonner ses bons petits plats et nous qui arrivions pour mettre les pieds sous la table.

On a reparlé de tout cela l'autre jour quand mon frère Laurent est venu me rendre une petite visite. C'est pas évident pour lui de venir à Berck car il habite à Pointe-à-Pitre depuis le début de l'année 2002. En fait, je sais que s'il est parti là-bas rejoindre ma tante Patricia qui elle aussi habite la Guadeloupe depuis plusieurs années, c'est à cause de moi. Je crois qu'il ne supportait

plus la vie ici. Lui à Paris, ses souvenirs en Normandie et son petit frère handicapé jusqu'à la fin
de ses jours. Comme Guillaume, il a été très
affecté par ce qui m'est arrivé. Mais lui, je le sais,
a beaucoup moins supporté la situation. Maman
m'a raconté un jour que, quand il venait me voir
pendant mon coma, il ne tenait pas plus de deux
minutes dans ma chambre. Il en ressortait tout
pâle et allait vomir. Je me dis que s'il était resté
en France, il ne serait peut-être plus de ce monde
aujourd'hui. Ma vie brisée a brisé la vie de mon
grand frère, qui heureusement a rebondi au soleil.
Il n'empêche que quand il vient me voir ou simplement me téléphone, cela me fait un bien fou.
Il me raconte ses exploits là-bas, il me décrit
toutes ses conquêtes, me parle de toutes ces filles
superbes qu'il croise sur les plages de sable blanc.
Cette nouvelle existence doit lui convenir et j'en
suis content pour lui. Je l'ai trop fait souffrir.

Comme j'ai fait souffrir Guillaume. Mais pour
lui c'est différent. Il est resté en Normandie, tout
près de là où l'on habitait avant. Il vient régulièrement me voir avec Delphine, sa femme. Lui a sa
vie bien rangée, épouse, enfant, travail. On passe
de bons moments à discuter. Généralement il vient
un dimanche sur deux ou sur trois, parfois avec
mon père. Ils restent tout l'après-midi dans ma
chambre et repartent le soir pour la Normandie en

se disant certainement eux aussi qu'ils n'ont pas mérité cette punition, que jamais ils n'auraient pensé venir un jour ici au chevet du petit Vincent.

Mais leur visite, même si je ne le leur dis pas, me réconforte. Je suis content qu'ils viennent. Content. Tiens, un mot que je croyais avoir rayé de mon vocabulaire ! Eh bien non, il m'arrive quelquefois de l'employer. Je suis content que tu sois venu, je suis content que Laurent aille bien, je suis content que mes neveux Florian et Romain soient en pleine forme, même si je ne les ai jamais vus. Content. Il ne m'arrive pas souvent de le dire et généralement, quand je suis content, ce n'est pas pour moi mais pour les autres. Le plus souvent c'est pour ma mère. Il y a quelques mois, je me souviens de lui avoir dit, alors que Franck, le fils d'une patiente hospitalisée ici, venait de l'inviter au restaurant, que j'étais content pour elle. Qu'elle allait se changer les idées et voir autre chose.

En fait je suis content de tout ce qui peut faire le bonheur de maman. Car pour le reste, je suis fatigué. Fatigué. Je ne supporte plus cette situation. Je ne supporte plus qu'on me lève le matin, qu'on me lave, qu'on me torche, qu'on remette du lait dans ma sonde, qu'on me retourne, qu'on m'habille pour que j'aie l'air présentable. J'en ai marre qu'on me racle la gorge quand je n'arrive pas à avaler ma salive... Je ne supporte plus d'être allongé dans ce lit, d'être réveillé toutes les nuits à 3 heures, je ne supporte plus d'avoir ces insomnies, d'attendre que ma mère arrive, de voir ma mère se tuer au boulot alors qu'elle a des problèmes de santé et qu'elle ne s'occupe pas d'elle. Je suis fatigué, fatigué par tout cela. Tout me fatigue, je suis usé, lessivé, crevé. Je voudrais tant être vraiment mort, ne plus ressentir ce que je ressens, ne plus souffrir, ne plus faire souffrir les gens que j'aime, ne plus gâcher la vie de ma mère.

Cette envie de mourir, je l'ai depuis des mois. Depuis mon réveil. Mais elle était engloutie au fond de moi. C'était un peu comme un bouton plein de pus qui grossit lentement sous votre peau et qui un jour éclate parce que quelqu'un appuie dessus. Eh bien pour moi ce fut la même chose. Tout ce que je pense aujourd'hui, j'y ai toujours pensé mais ce n'était pas encore mûr. J'espérais que cela passerait, que mon état s'arrangerait. Et le Dr Rigaud est venu appuyer sur ce bouton qui a giclé sur mon semblant de vie, et sur la vie de ma mère.

C'était en septembre 2002. La date exacte, impossible de vous la dire. Pourtant cette date est importante pour moi car c'est ce jour-là que tout s'est véritablement déclenché. Je m'attendais un peu à vivre ce moment-là, car depuis deux ou trois jours maman n'était plus comme d'habitude. Je devinais qu'il s'était passé quelque chose mais je n'arrivais pas à savoir quoi. En fait, avant de venir me voir pour m'annoncer qu'il n'y avait plus aucun espoir pour moi, qu'il fallait que je change d'établissement, le Dr Rigaud l'avait dit à ma mère. Il l'avait conviée à venir dans son bureau pour lui annoncer qu'il fallait que je quitte le centre pour une maison spécialisée. Puis il lui avait demandé de m'en parler, de me préparer à partir.

Maman, ce jour-là, comme bien souvent, a eu une réaction digne et superbe. Elle a simplement ordonné au médecin de s'adresser directement à moi.

— Pour des tas de choses, monsieur Rigaud, vous dites que mon fils est majeur. Et c'est vrai. Il a toute sa tête, alors allez lui dire. C'est vous le médecin, c'est vous qui allez lui dire.

— Je ne peux pas lui dire cela, madame Humbert, lui a-t-il répondu.

— Eh bien moi non plus, a-t-elle rétorqué, c'est hors de question.

Le Dr Rigaud a bien dû obtempérer, deux ou trois jours plus tard. Il est arrivé comme chaque matin dans ma chambre, mais lui non plus n'était pas comme d'habitude. En plus, ce jour-là, il était tout seul. Pas d'infirmière avec lui. Je ne le voyais pas, mais je le sentais hésitant, fouillant dans les poches de sa longue blouse blanche comme quelqu'un de nerveux, d'anxieux, qui n'arrive pas à s'exprimer, à dire les choses, parce qu'elles sont difficiles à entendre pour la personne en face.

— Vincent, il faut que je te parle.

J'avais déjà compris. Je connaissais la suite. On ne voulait plus de moi ici. On ne me foutait pas à la porte, mais au bout de deux ans, il est rare qu'on garde un patient au centre hélio-marin, surtout quand ce dernier ne fait plus de progrès. Et ce n'est pas parce que je m'appelais Vincent Humbert qu'il allait y avoir une dérogation. C'est pour tout le monde pareil.

Mais moi, cette décision qui résonnait comme un ordre et qui semblait être une évidence pour le milieu médical m'a touché, m'a meurtri. Encore une fois parce que j'ai toute ma tête. Si j'avais été comme tous les autres, à cet étage, qui ne réagissent à rien, cela ne m'aurait pas gêné car je n'aurais sans doute pas compris. Parfois je me dis que j'aimerais être comme Christelle, une des filles hospitalisées ici. Elle, on a l'impression qu'elle est tout le temps heureuse dans son petit monde. Qu'elle n'attend rien. Elle est là, c'est tout. Je suis sûr qu'elle s'en fiche, d'être renvoyée d'ici ou non. Elle ne réalise pas.

Moi, je m'attendais à ce verdict. Je m'y étais même préparé car je voyais bien que je ne faisais plus de progrès. Je l'avais dit plusieurs fois à ma mère qui l'avait écrit sur un de ses carnets : « Ils vont me foutre ailleurs parce que je ne progresse plus. » Eh bien voilà. C'était arrivé. Encore quelques semaines – car on me laissait tout de même un délai pour quitter cette chambre –, et plus de kiné, plus d'ergo, plus personne pour s'occuper de moi, plus rien. À la rue le Vincent Humbert ! Et ma mère aussi, à la rue. Elle qui a tout quitté pour venir s'installer à Berck se retrouverait automatiquement à la rue puisque son logement appartient au centre.

Quand le Dr Rigaud m'a annoncé mon futur départ, je n'ai pas réagi, j'étais comme pétrifié. Ou plutôt stupéfait, même si une fois de plus, je le répète, je m'y attendais. Car c'est d'un ton monocorde qu'il m'a tout déballé, comme s'il parlait à son garagiste des travaux à effectuer sur sa voiture. Ce médecin qui avait pourtant passé près de deux ans à mes côtés, à surveiller mon coma, à m'aider à survivre, à me réapprendre des tonnes de choses ! Ce médecin qui avait dû en voir d'autres, cet homme qui avait dû être confronté à des situations encore plus dures que la mienne n'avait pas la moindre émotion dans la voix pour me dire qu'il fallait que je parte. Moi qui pensais qu'il m'avait adopté ! Depuis que je pouvais communiquer avec lui, il nous arrivait souvent de converser. Je lui indiquais que tel médicament qu'il m'avait prescrit ne me convenait pas, que je peinais à faire telle chose mais que je me battrais pour y parvenir. Nous avions une relation un peu privilégiée tous les deux, puisque je suis dans cet établissement un des seuls à avoir toute ma tête. Eh bien non. Il n'a pu su y mettre les formes. Peut-être qu'à sa place j'aurais été aussi maladroit que lui. Pourtant on ne m'ôtera pas de l'idée qu'il est anormal qu'un mec qui sauve une partie de votre vie, qui vous réapprend à vivre, qui vous laisse entrevoir qu'il y a peut-être un espoir dans l'avenir, vous dise sans émotion qu'après deux ans passés près de lui vous devez changer d'établissement, parce que c'est écrit dans les conventions du centre.

En quelques secondes, tout s'est écroulé. En quelques secondes, le peu d'espoir que j'avais un moment entrevu est tombé à l'eau. C'était comme si tous ces longs mois passés ici après mon réveil n'avaient servi à rien. Un instant, j'ai eu envie de dire au toubib : « Mais rappelez-vous, vous vous êtes bien trompé pour ma tête, vous aviez dit que je ne la retrouverais jamais ! Alors pourquoi ne retrouverais-je pas mes jambes ? » Mais je me sentais résigné. Car pour la première fois je savais qu'il avait raison : je n'évoluerais plus, je resterais toute ma vie un tétraplégique.

En cette fin de journée, alors que ma mère s'apprêtait à rentrer chez elle le moral dans les chaussettes, je me rappelle lui avoir dit :

— Bon, eh bien maintenant, maman, tu as compris ! Tu vois bien que plus jamais je ne ferai de progrès, que je ne remarcherai jamais, que je ne serai plus jamais comme avant. C'est terminé, terminé.

Malgré son désespoir, son abattement, maman a encore insisté :

— Mais non, Vincent, il y a sûrement une solution, je vais la trouver, cette solution, on va y réfléchir. Je vais retourner voir le Dr Rigaud demain pour qu'il m'indique un autre établissement, un hôpital mieux qu'ici où l'on pourra s'occuper de toi...

Voyant que ma mère ne voulait pas entendre ce que j'avais à lui dire alors que cela faisait plusieurs minutes que je bougeais mon pouce, je me suis mis à taper ma main contre les barreaux de mon lit. J'ai tapé pour qu'elle entende, pour qu'elle m'entende avant de partir. Je voulais lui dire ce que mon cœur avait envie de hurler. J'ai tapé si fort mes phalanges sur la barre en inox que le sang s'est mis à couler. Ma main aussi, l'une des seules parties vivantes de mon corps, voulait cracher son venin. Alors, voyant ce sang couler, maman s'est arrêtée de parler, a cessé de dire toutes ces choses censées me réconforter mais que je ne voulais pas entendre, que je ne voulais plus entendre. Elle a pris ma main meurtrie et je lui ai dit :

— Maman, je veux mourir.

Je crois qu'au fond ma mère savait depuis toujours que j'envisageais cette solution. Mais elle gardait une petite lueur d'espoir, espérant que je changerais d'avis. Seulement ma décision était prise et je savais que je ne reviendrais plus jamais dessus. Ce n'était pas un coup de tête, quelque chose que l'on dit comme ça. Non, c'était une décision mûrie. Celle que je pensais la meilleure.

La journée, je n'y pensais pas. Mais dès la nuit tombée, dès que les infirmières éteignaient ma télé et me disaient « Vincent, c'est l'heure de dormir, bonne nuit », je me mettais à réfléchir. Je cherchais désespérément ce qui aurait pu me faire changer d'avis. Je vous assure, j'ai cherché jusqu'à m'en faire mal au crâne. Mais rien, je n'ai rien trouvé. Je veux mourir pour enfin avoir la paix et foutre la paix à tout le monde. Je suis inutile à la société. Je coûte cher à la société. Je ne me vois pas vivre comme cela jusqu'à la fin de mes jours. Comment ferais-je ? Aujourd'hui je suis jeune, ma mère a passé la quarantaine, et elle commence à fatiguer. Comment fera-t-on quand j'aurai cinquante ans ? Elle ne pourra plus s'occuper de moi comme elle le fait en ce moment. Parce que vivre jusqu'à cinquante ans, soixante ou plus, c'est facile, pour moi. J'ai un cœur de gosse et je ne me fatigue pas, ça peut durer des dizaines d'années. Non, franchement non. Cela fait plus de deux ans que je suis dans ce lit à me tordre de douleur, à n'avoir pour horizon que le bout de mon nez, à demander qu'on me gratte ce nez quand il me démange, à ne pas bouger d'ici. Et l'on voudrait que je vive jusqu'à quatre-vingts balais !

C'est tout cela que j'ai expliqué à maman, pendant ce long mois de septembre 2002. Mais il fallait qu'elle encaisse le coup, ça a pris du temps. Au début, chaque fois qu'elle arrivait dans ma chambre, elle faisait comme si je ne lui avais rien dit. Elle me parlait de choses et d'autres, de ce qu'elle avait fait la veille ou le matin, chez ses petites vieilles. Elle qui parlait déjà beaucoup était devenue un vrai moulin à paroles. J'avoue même qu'elle me soûlait avec ses histoires. Il n'empêche que dès qu'elle s'arrêtait deux secondes, je lui demandais de prendre ma main et je lui répétais sans cesse :

— Tu te souviens de ce que je t'ai dit ? Tu te rappelles ce que je veux ?

Mais elle détournait la conversation.

— Oui, oui, Chouchou, on verra ça plus tard. En attendant je vais te mettre des gouttes dans tes yeux.

Ce petit manège a duré un mois. Pendant un mois, chaque fois qu'elle me prenait la main, et qu'elle commençait à me dicter l'alphabet, je lui disais :

— Je veux mourir.

— Tu m'énerves avec ça, Vincent ! répondait-elle.

Et moi je continuais ou alors je retirais ma main et je ne lui parlais plus de la journée. Il fallait qu'elle se fasse à l'idée. Parce qu'elle aussi commençait à comprendre que de toute façon on allait me foutre à la porte et qu'elle aussi devrait partir de son logement.

Et puis un jour, et à force d'insistance de ma part, elle a bien voulu écouter et noter tout ce que j'avais à lui dire. Pendant plus d'une semaine nous n'avons parlé que de la mort. C'est bizarre de parler de la mort aussi librement que cela alors qu'on a attendu si longtemps avant d'aborder le sujet. Plusieurs fois nous l'avions évoquée, certes, mais dans d'autres circonstances, et dans d'autres termes. Je disais souvent que j'aurais mieux fait de mourir le jour même de mon accident, que j'aurais préféré ne jamais me réveiller. Mais jamais nous n'avions réellement abordé la question de mettre fin à mes jours.

Je crois qu'il faut vraiment avoir frôlé la mort de près pour pouvoir en parler sereinement. J'ai dit et répété à ma mère : « Tu sais maman, la mort, ce n'est pas moche. C'est beau la mort, c'est si simple, ce serait si simple pour moi, pour nous. Ça résoudrait tellement de choses. Je ne vois pas pourquoi tu te fais tout un cinéma avec ça. La mort, elle te fait peur, elle fait peur aux gens parce qu'ils ont peur de mourir. Mais moi je n'ai pas peur puisque j'ai *envie* de mourir. »

Sa voix se faisait alors plus grave et elle me répondait que c'était pour moi qu'elle avait peur.

Quelle connerie ! Moi, la mort, je l'attends ! J'ouvre grand mes bras pour l'accueillir. En plus je suis sûr qu'ailleurs, je serai certainement mieux qu'ici. Ailleurs, ça ne veut pas dire au ciel, je ne suis pas croyant. Non simplement ailleurs, là où je ne vivrai plus ce que je vis ici aujourd'hui.

— De toute façon, maman, si tu ne m'aides pas à mourir, je le ferai tout seul.

Tout seul ! Je crois que cette réflexion a dû beaucoup faire rire ma mère. Je m'en suis rendu compte lorsque, un jour, je lui ai demandé un couteau.

— Mais tu es complètement fou mon pauvre fils, m'a-t-elle dit. Tu ne peux même pas bouger ta main, tu ne peux même pas la porter jusqu'à ton nez et tu voudrais te planter un couteau dans le cœur ?

J'avais effectivement vu un peu grand. J'étais tellement déterminé à mourir que j'envisageais toutes les solutions. J'ai même écrit à ma tante sans que ma mère le sache. Grâce à Chantal, mon animatrice en qui j'ai entièrement confiance, j'ai pu écrire des dizaines de lettres dans le dos de ma mère. Voici celle que j'ai donc écrite à ma tante Patricia.

Pat, salut c'est Vincent, ton neveu préféré. Si je t'écris, ce n'est pas pour le plaisir, c'est parce que je suis vraiment dans la merde. La maison spécialisée dans laquelle on veut me mettre c'est bien, mais il n'y a ni kiné ni orthophonie. Alors je t'écris parce que je n'ai confiance qu'en toi pour me trouver une solution car ma mère est dépassée. Je n'ai pas du tout envie de passer toute ma vie comme ça. Je veux mourir. Je suis sûr que tu vas me trouver un moyen. Tu peux me répondre juste pour me dire que tu as bien reçu ma lettre car je n'ai pas confiance en ma mère et ça ne m'étonnerait pas que la lettre reste dans son sac à main. Bon voilà, je ne t'ai pas tout révélé, mais réponds-moi vite. Je t'embrasse. Vincent.

Malheureusement ma tante n'a pas trouvé non plus de solution pour me soulager.

Je voudrais tellement trouver un moyen de crever, pour partir avant de devenir cinglé, méchant, aigri. Plus le temps passe et moins je me vois finir mes jours en légume racorni sur un lit d'hôpital. Ce n'est pas possible. Ce n'est pas comme ça que je m'imaginais l'âge d'adulte. Car, à bien y réfléchir, je n'ai jamais été véritablement un adulte. Je commençais à sortir des jupons de maman et à m'assumer en bossant. Je commençais à m'apercevoir que, finalement, la vie n'est pas si facile que ça et que l'on n'a rien sans rien. Voir ma mère se retrouver seule après des années de mariage et de sacrifices pour payer le loyer, pour élever ses enfants, pour supporter son mari, voir tout cela partir et se disloquer en quelques semaines m'avait fait découvrir que l'existence n'est pas toujours toute rose. Moi, j'avais toujours été dans mon petit cocon. J'avais besoin de quelque chose ? Mon père et ma mère étaient là pour assurer. J'avais un autre problème ? Mes frères étaient là pour me venir en aide. J'avais toujours vécu comme ça. Il n'y a que les derniers mois de ma vie d'homme valide que j'ai commencé à véritablement comprendre. Tout d'abord en apprenant à partager mes sentiments, mes envies, mes projets avec Caro. Puis en devant regarder mon relevé de compte en banque pour me dire « eh bien non, ça, je ne le ferai que le mois prochain ». Toute cette phase d'apprentissage a été brisée par mon accident.

Aujourd'hui je suis redevenu un gosse, un assisté qui a besoin de tout le monde parce que tout ce que je veux faire, je ne peux pas le faire seul. À part réfléchir, penser, analyser, le reste demande assistance. Même pour respirer, il me faut souvent une assistance. C'est vous dire si l'heure est grave. Mettez-vous un peu à ma place. Fermez les yeux et placez-vous comme moi, allongé sur un lit, mais tout recroquevillé parce que ce lit n'est pas assez grand. Imaginez que tous vos membres vous font mal, mais que vous n'y pouvez rien, que la douleur est en vous et que de toute façon, quoi que vous fassiez, elle sera encore là dans dix minutes, dans une heure. Imaginez que quelque chose vous gêne dans votre gorge et que vous n'arrivez plus à avaler votre salive : il faut que quelqu'un vous aide et vous aspire pour vous désencombrer. Imaginez que vous êtes à court d'oxygène, que vous sentez que l'air aspiré ne suffit plus à votre organisme : il faut qu'on vous mette un masque qui vous soulage. Je continue ? Oui, je vais continuer car je veux que vous compreniez pourquoi je ne veux plus de cette vie qu'on me fait vivre. Donc vous avez toujours les yeux fermés. Enfin pas tout à fait. Ouvrez-les légèrement, mettez une épaisse couche de plastique opaque devant vous et essayez de regarder. Vous ne voyez rien. C'est normal, moi non plus je ne vois pas. Ma maman, ma jolie maman qui passe des heures et des heures près de moi, je ne la vois pas, je devine les contours de son visage. L'autre jour elle m'a dit qu'elle était allée chez le coiffeur, je ne m'en étais même pas aperçu. Je pourrais vous parler encore de mes yeux qui me brûlent, ou qui se dessèchent, de mon bras gauche qui se raidit tout le temps sans que je puisse le contrôler, de mon nez qui me démange sans que je puisse le gratter, de ce traversin qui se fait toujours la malle et qui écrase mon oreille. Pour toutes ces petites choses il faut que je demande de l'aide. « Maman, tu peux faire ci, tu peux faire ça... » Alors, vous en voulez de cette vie ? Vous en voulez de cette vie de merde ?

Maintenant mettez-vous dans la tête d'un garçon de vingt ans qui était plutôt beau, super gentil, super dragueur et qui du jour au lendemain se retrouve handicapé. Eh bien ce mec, sa copine se barre. Normal. Alors il devient super agressif avec tout le monde. Puis il se calme et tente d'avoir une vie à peu près convenable malgré tous ses handicaps. Mais il est dégoûté par cette vie où rien ne va et où, côté drague, c'est mort. Eh oui ! Il faut y penser à cela aussi : je ne baiserai plus jamais. Or, comme tout le monde, j'aimais ça. Comme tous les jeunes de mon âge, j'avais découvert les plaisirs du sexe. Quand j'en parle avec mon frère qui doit avoir une centaine de gonzesses à son tableau de chasse, ça me fait à la fois du bien et du mal parce que je sais que tout cela je ne le vivrai plus. Draguer une belle fille, la séduire, passer la main dans son cou, dans ses cheveux, la serrer très fort contre soi, puis découvrir son corps, la caresser, l'embrasser, lui faire l'amour. Souvent la nuit il m'arrive d'y repenser. Et là, je bande. Oui, je bande comme peut-être jamais je n'ai bandé. Bizarrement et alors que la majorité de mes membres est paralysée, mon sexe entre toujours en érection. Alors, quand je pense à de telles choses, quand j'entends des trucs à la télé, quand mon frère me raconte ses histoires de cul, j'y repense et je bande.

Ça aussi, c'est comme pour ma tête, il y a des jours où je me dis que j'aurais mieux fait de ne pas recouvrer cette faculté. Je bande, mais je ne peux pas me soulager. Je bande, mais ce petit plaisir solitaire appelé masturbation auquel les jeunes gens se livrent certains soirs sous leurs draps, je ne peux même pas me l'offrir. Pourtant, ce n'est pas l'envie qui me manque.

Alors je vous repose la question. En voulez-vous, de cette vie ? Si maintenant vous me dites oui, c'est que vous êtes vraiment timbré.

Moi, vous le savez maintenant, je n'en veux plus, de cette vie. Ma mère commence à le comprendre mais elle n'est pas la seule dans ma famille à être concernée par ma mort. Aussi, pour m'expliquer, pour me justifier, ai-je voulu réunir les miens afin de leur annoncer mon choix. Car jusqu'ici, cette envie de mourir, c'était un secret entre ma mère et moi. Mais ce secret était trop lourd à porter.

Alors j'ai dit à ma mère de convoquer un conseil de famille. Ça tombait bien : tout le monde était dans le coin, ma mère, mon père,

Guillaume, et Laurent revenu de Guadeloupe pour quelques jours, lui qui quelques mois plus tôt voulait que je vienne le rejoindre avec ma mère sur son île paradisiaque et proposait de me mettre dans un hôpital, là-bas, à Pointe-à-Pitre, au soleil. Un peu fou comme idée ! Moi, le soleil de la Guadeloupe je m'en fous. Ici je suis face à la mer et je ne l'ai pourtant jamais vue, alors...

J'avais préparé ce que j'avais à dire. Mais c'est maman qui a pris la parole pour lire les notes que nous avions faites ensemble, ou plutôt que je lui avais dictées. Dans ma chambre, il n'y avait pas la même ambiance que d'habitude. D'abord il y avait beaucoup de monde, et il régnait une certaine inquiétude, même si je ne pense pas qu'ils s'attendaient à ce que je leur annonce que je voulais mourir.

Entre le moment où ils étaient entrés et celui où ma mère leur a annoncé « Vincent a quelque chose à vous dire », le temps m'a paru très long. Ce furent d'abord les habituels « ça va, toi... », « tiens, tu as encore reçu une carte postale », enfin bref les banalités d'usage... Je piaffais d'impatience. Je n'en pouvais plus et je suis sûr que ma mère voyait ma main s'agiter, ma tête bouger pour lui demander de commencer à lire. J'avais tellement attendu de les avoir tous ici près de moi ! C'était, je crois, la première fois depuis bien longtemps que nous étions tous réunis dans une même pièce.

Soudain, chacun s'est tu et maman a pris la parole.

— Alors voilà, Vincent a quelque chose de très important à vous dire.

Et elle s'est mise à lire ma lettre. Il y a eu un grincement de chaise dans la chambre, je crois que c'est mon père qui se redressait.

« Les médecins viennent de m'annoncer que je ne ferai plus jamais de progrès, que je ne remarcherai jamais, que je ne retrouverai jamais la parole et qu'il faut que je parte d'ici pour aller dans un autre établissement, moins médicalisé où ils comptent me laisser finir mes jours. Cette solution, je n'en veux pas. Je ne veux pas finir mes jours comme ça, je veux mourir. C'est mon choix, il faut que vous le respectiez, ce ne doit pas être votre problème. Que vous acceptiez ou que vous n'acceptiez pas, d'ailleurs, peu m'importe, de toute façon ma décision est prise. Mais si vous n'acceptez pas mon choix, je ne veux plus vous voir. »

Il y a eu un long silence... Même dans les couloirs, on n'entendait plus un bruit. Le temps venait de s'arrêter. Ma mère, je pense, n'osait pas relever les yeux de sa feuille pour ne pas affronter le regard de ses fils, de mon père, tous trois mis en quelque sorte au pied du mur.

La chaise de mon père a une nouvelle fois grincé, je l'ai entendu soupirer mais c'est Lolo qui a parlé le premier.

— Je te comprends. Je crois que si j'étais à ta place, je ferais pareil.

— Moi aussi je te comprends, a aussitôt repris Guillaume.

Mon père se taisait toujours. Je voulais qu'il parle, qu'il dise quelque chose. Mais d'un autre côté je comprenais son silence. Son fils venait de lui annoncer qu'il voulait disparaître et que sa décision était irrévocable. Alors j'ai demandé à ma mère de me reprendre la main car je voulais insister sur les raisons de mon choix.

— Vous en voudriez, vous, de cette vie ? Moi je n'en peux plus. J'ai longuement parlé de cela avec maman, elle est d'accord. Alors c'est décidé, je veux mourir.

Pendant plus d'une heure, nous avons parlé. Je les entendais aussi discuter entre eux. « Mais tu es sûr qu'il n'y a plus d'espoir ? » « On va forcément trouver une autre solution... » « Faut le comprendre, il doit en avoir marre... »

Et soudain mon père a dit :

105

— Puisque c'est ton choix, Vincent, eh bien ce sera le nôtre. Nous sommes tous avec toi.

Ce sont les infirmières qui, en entrant dans la chambre pour mes soins de l'après-midi, ont interrompu notre discussion. Ils ont tous quitté la chambre et ont pris la direction de la cafétéria pour aller boire un café, fumer une clope.

Je ne sais pas ce qu'ils se sont dit. Mais j'imagine qu'ils devaient être sous le choc. Pendant plus d'une heure, nous venions de parler de ma volonté d'en finir. Ils n'étaient pas venus pour ça. Ils étaient venus pour me demander si j'allais bien, pour me raconter leurs histoires, pour essayer de me distraire comme ils le font chaque fois qu'ils viennent. Peut-être s'attendaient-ils, vu cette convocation groupée, à ce qu'on leur parle d'une décision administrative, ou médicale, mais ils ne s'étaient certainement pas préparés à ça ! Maman m'a dit par la suite que Lolo, qui avait pourtant été le premier à me dire qu'il comprenait mon choix, avait craqué dans le couloir. Qu'il avait eu du mal à encaisser ce que je venais de leur dire.

Mais il fallait que cela sorte, je ne pouvais plus garder ce secret pour moi, il fallait que je dise à tout le monde pourquoi je voulais mourir et pourquoi j'étais aussi déterminé.

– IV –

Je voulais mourir, mais il fallait qu'on m'aide.
Quelques jours après que le Dr Rigaud fut venu
me dire qu'il fallait que je parte, sans en parler à
ma mère qui ne l'a su que plus tard, j'ai demandé
à celui-ci un médicament pour pouvoir en finir.

— Docteur, donnez-moi une pilule pour que je
dorme et que je ne me réveille jamais.

Il n'a pas voulu.

— Mais, Vincent, c'est hors de question. Ça ne
se fait pas, ces choses-là. C'est interdit en France.

Alors j'ai demandé aux infirmières de nuit, qui
elles non plus n'ont pas voulu.

— Mais ça ne va pas, Vincent, tu n'es pas bien ?
On n'a pas le droit de faire cela. Et puis ta vie,
elle n'est pas foutue !

C'est seulement après une dizaine de jours que
j'ai avoué mes démarches à ma mère. Elle ne le
croyait pas ! Elle est allée aussitôt voir le Dr

Rigaud qui lui a confirmé ma demande. Puis elle a questionné deux infirmières : même réponse.

Alors je lui ai dit, et je me rappelle les termes exacts employés :

— Si tu m'aimes, tu n'as plus le choix, ou alors c'est que tu ne m'aimes pas.

Elle n'a pas répondu. Et comme c'était l'heure pour elle de s'en aller et de rentrer chez elle, elle s'est approchée de moi, m'a longuement embrassé comme chaque fois qu'elle quitte ma chambre et m'a dit :

— Bon, allez, bisous Chouchou, je t'aime, à demain.

Là, je lui ai fait signe de reprendre ma main pour lui dire ce que je voulais lui dire depuis plusieurs jours. Il fallait que je le fasse. L'instant était, je crois, le mieux choisi, le plus opportun.

— Arrête de dire que tu m'aimes, parce que tu ne m'aimes pas.

Elle a sursauté. C'est la première fois que je lui disais cela.

— Ça ne va pas Vincent, bien sûr que je t'aime !

— Non, tu ne m'aimes pas, lui ai-je répondu. Si tu m'aimais, tu me tuerais.

Du coup, ma mère n'est pas partie. Elle est restée plusieurs heures dans ma chambre. Elle était en larmes, elle ne comprenait pas, elle voulait savoir ce que j'avais dans la tête et moi je lui répétais sans cesse que si elle m'aimait vraiment elle m'aiderait à mourir.

Ce soir-là, et parce qu'elle voyait bien que de toute façon j'étais déterminé, elle a pris conscience de la gravité de mon choix. Elle s'est, j'en suis sûr puisqu'elle me l'a confié, mise à penser comme moi, à se mettre à ma place, à avoir mon langage. Et moi, quand je lui communiquais mes mots, quand elle m'énonçait l'alphabet, j'appuyais plus fort que d'habitude. Ce n'étaient pas des paroles en l'air, je voulais que la pression de mon pouce sur sa main souligne l'importance de mes phrases. Je voulais lui transmettre avec la plus grande exactitude et la plus grande sincérité ce que j'avais à lui dire, pour qu'elle comprenne, pour que j'arrive à la convaincre que ma solution était la meilleure.

Quand nous avons eu fini de parler, que j'ai été certain qu'elle avait enfin accepté mon choix, je lui ai dit, avec un pouce et une main plus hésitante :

— Maintenant fais-moi un câlin, un câlin très fort. J'espère que tu ne m'en veux pas maman, fais-moi un câlin...

Ce câlin a duré un siècle. Ma mère pleurait contre moi, elle me serrait si fort, blottie contre moi, j'avais l'impression de sentir son odeur tellement elle était en moi.

Moi j'avais envie de pleurer, mais ça aussi, la vie me l'a enlevé. Ce moment magique, cette immense envie de pleurer, ces larmes que je n'ai plus car quand je pleure ne sort qu'un petit râle de ma bouche, m'ont convaincu une fois de plus que je devais en finir. Non seulement je n'avais plus de plaisir, mais même dans ces moments où l'on veut se lâcher, où l'on a envie que les larmes coulent à flots, eh bien je n'y arrivais pas.

Cette nuit-là, je n'ai pas dormi. Je me sentais coupable d'avoir fait tant de mal à ma mère. Je l'imaginais chez elle, toute seule, ressassant les phrases assassines que je lui avais jetées en pleine figure. J'étais partagé entre le soulagement de lui avoir dit ce que j'avais sur le cœur et le chagrin de lui avoir fait tant de mal. Parce qu'il est dur, très dur et terriblement difficile, de demander à celle qui vous a donné la vie qu'elle vous donne la mort.

J'allais lui faire vivre un enfer. J'en étais conscient.

Nous n'avons plus parlé de cela pendant plusieurs jours. Je voulais la ménager, ma pauvre maman, la laisser encaisser, la laisser souffler un peu avant de lui en remettre une deuxième couche au cas où elle n'aurait pas bien compris, au cas où elle croirait que j'allais changer d'idée.

Nous avons réabordé le sujet un après-midi où j'avais refusé d'aller en séance de kiné. Je voulais en reparler.

— Maman, je veux que tu me jures que tu le feras, que tu m'aideras.

Elle m'a répondu sur un ton un peu las :

— Mais oui, Vincent, je t'aiderai.

Elle se fichait de moi.

— Non, non, non, je veux que tu me le jures. Comme je sais que tu as horreur de jurer, si tu le fais, je serai sûr que tu ne reviendras pas sur ta décision. Jure-le-moi !

Et elle a juré.

Enfin !

Ce jour-là, je lui ai aussi dit que j'étais en train d'écrire une lettre très importante avec Chantal, mon animatrice.

Maman a semblé surprise. C'était la première

fois que je lui avouais que j'écrivais des lettres sans son aide.

— C'est une lettre de quoi ? m'a-t-elle demandé.

— Tu ne le sauras qu'après.

Cette idée lumineuse avait mûri en moi. Écrire une lettre. Dire et crier toute ma volonté de mourir à quelqu'un d'important, puisque ma mère était enfin d'accord avec moi. Alors je me suis dit qu'il fallait que je m'adresse à la personne la plus importante de notre pays, au président de la République, pour lui demander de m'aider puisque ici personne ne voulait le faire. Pendant plusieurs jours et surtout plusieurs nuits j'ai réfléchi à ce que je pourrais lui écrire. Il fallait que mes mots soient justes, pensés dans les moindres détails. Il fallait qu'ils soient les plus accrocheurs et les plus explicites possible. Je me suis fait comme un plan dans ma tête : il fallait que je lui explique qui j'étais, pourquoi j'étais ici, quelle était la situation de ma mère et enfin pourquoi je voulais mourir. J'y ai réfléchi pendant près d'un mois. Le jour, je ne regardais même plus la télé tellement j'étais concentré là-dessus. La nuit, les infirmières n'avaient pas besoin de me réveiller pour venir me retourner, je ne dormais pas, je somnolais. Je pensais. Je réfléchissais.

Puis un jour j'ai demandé à Chantal, avec qui j'avais déjà fait plusieurs petites lettres, de m'aider pour cette missive. Je ne voulais pas que ce soit ma mère qui la rédige. J'avais trop peur qu'elle change la tournure des phrases dans mon dos ou qu'elle n'ose pas dire les choses telles que je voulais qu'elles soient dites. Mes phrases étaient presque prêtes, Chantal m'aiderait pour le vocabulaire. Parce qu'il fallait que j'y mette les formes. Je n'écrivais pas à n'importe qui ! Pendant plusieurs jours, avec Chantal, j'ai écrit ma première longue lettre, et surtout la plus solennelle. Une phrase finie, Chantal me la lisait. Et si un mot ne me convenait pas ou si la tournure du texte ne me donnait pas satisfaction, eh bien on recommençait. Elle devait en avoir ras le bol, Chantal ! Mais, et c'est pour cela que je l'aime, elle a une patience d'ange avec moi. J'ai pourtant cru qu'elle allait exploser le matin où je lui ai dit :

— J'ai réfléchi cette nuit, il faut qu'on recommence tout. On a oublié ça et ça...

Écrire cette lettre au Président m'a permis un moment d'oublier ma douleur. Pas mon envie de mourir, évidemment, cette démarche en était la preuve. Mais être occupé, avoir une mission de ce type m'obligeait à me concentrer et à ne penser qu'à cela. Je sais que pendant cette période j'ai

été très exigeant avec Chantal. Mais j'avais tellement besoin que cette lettre parte... Quand j'ai
pensé avoir enfin terminé, j'ai demandé à mon
animatrice de rester une heure de plus, un soir,
pour lire ce qu'on avait fait et qui allait être
posté le lendemain matin, direction le palais de
l'Élysée.

Monsieur Chirac,
Tous mes respects, Monsieur le Président.
Je me présente : je m'appelle Vincent Humbert, j'ai
21 ans. J'ai eu un accident de circulation le 24 sep-
tembre 2000. Je suis resté neuf mois dans le coma. Je
suis actuellement à l'hôpital hélio-marin à Berck dans
le Pas-de-Calais.
Tous mes sens vitaux ont été touchés à part l'ouïe et
l'intelligence, ce qui me permet d'avoir un peu de confort.
Je bouge très légèrement la main droite en faisant une
pression avec le pouce à chaque bonne lettre de l'alphabet.
Ces lettres constituent des mots et ces mots forment des
phrases. C'est ma seule méthode de communication.
J'ai actuellement une animatrice à mes côtés qui
m'épelle l'alphabet en séparant voyelles et consonnes.
C'est de cette façon que j'ai décidé de vous écrire.
Les médecins ont décidé de m'envoyer dans une maison
d'accueil spécialisée.
Vous avez le droit de grâce et moi, je vous demande
le droit de mourir.

Je voudrais faire ceci évidemment pour moi-même mais surtout pour ma mère ; elle a tout quitté de son ancienne vie pour rester à mes côtés, ici à Berck, en travaillant le matin et le soir après m'avoir rendu visite, sept jours sur sept, sans aucun jour de repos. Tout ceci pour pouvoir payer le loyer de son misérable studio. Pour le moment, elle est encore jeune. Mais dans quelques années, elle ne pourra plus encaisser une telle cadence de travail, c'est-à-dire qu'elle ne pourra plus payer son loyer et sera donc obligée de repartir dans son appartement, en Normandie. Mais impossible d'imaginer rester sans sa présence à mes côtés et je pense que tout patient ayant toute sa conscience est responsable de ses actes et a le droit de vouloir continuer à vivre ou mourir.

Je voudrais que vous sachiez que vous êtes ma dernière chance. Sachez également que j'étais un concitoyen sans histoire, sans casier judiciaire, sportif, sapeur-pompier bénévole.

Je ne mérite pas un scénario aussi atroce et j'espère que vous lirez cette lettre qui vous est spécialement adressée. Vous direz toutes mes salutations distinguées à votre épouse. Je trouve que toutes ses actions, comme les pièces jaunes, sont de bonnes œuvres.

Quant à vous, j'espère que votre quinquennat se passe comme vous le souhaitez malgré tous les attentats terroristes.

115

Veuillez agréer, Monsieur le Président, l'expression de mes sentiments les plus distingués.

Vincent Humbert

P-S : je voudrais une réponse de votre part, même si celle-ci est négative.

Cette lettre, Chantal, pas mon animatrice, mais la maman de Christelle, la petite malade toujours sur son nuage, l'a postée le 30 novembre 2002. Il ne me restait plus qu'à attendre. Quelques jours auparavant, j'avais prévenu ma mère que cette lettre était terminée, mais je lui avais demandé de ne pas en parler. Chantal avait fait une photo-copie pour maman et une autre pour le Dr Rigaud. À part eux, je souhaitais que personne ne soit au courant. J'avais bien sûr demandé aux deux Chantal de ne rien dire. Maman a d'abord été surprise que j'écrive au Président. « Mais Vincent ça ne va pas ! On n'écrit pas au président de la République pour ça ! » me disait-elle. Puis elle a lu ma lettre. Elle ne m'a pas fait de réflexion, elle m'a juste dit que c'était bien mais que j'aurais pu éviter de parler d'elle.

En fait, j'ai su plus tard par mon animatrice qu'elle avait été très surprise et très fière de moi. Que les mots que j'avais choisis étaient justes.

De longues journées se sont succédé. Je savais

bien que je n'aurais pas une réponse immédiate, que le Président avait autre chose à faire que lire le courrier d'un gamin de Berck alors que notre pays et le monde entier étaient sous la menace terroriste. Car il doit recevoir des tonnes et des tonnes de lettres de toute la France, le Président. Alors j'imaginais la mienne, perdue au milieu de tout ce fatras. J'espérais surtout qu'elle ne s'était pas perdue à la poste car plus les jours passaient, plus le temps me semblait long.

C'est à ce moment-là que Pierre, un journaliste de *Montreuil-Hebdo*, le journal local, a rencontré maman un peu par hasard. Enfin presque. Ma mère voulait lancer une pétition parce qu'on voulait fermer le foyer où l'on accueille les familles des patients pendant leur séjour. Elle était en colère, ma mère, car ce foyer, elle le connaissait bien, elle y avait vécu pendant plusieurs semaines quand elle était arrivée à Berck avant que le centre ne mette à sa disposition un logement en face de l'hôpital et elle mesurait son utilité

Une de ses copines lui a dit d'en parler à un journaliste qu'elle connaissait. Maman a donc parlé à cet homme de sa pétition, de sa colère. Et, au fil de la conversation, elle en est venue à parler de moi. De mon accident, de ma vie brisée, de sa vie brisée et de ma lettre au président de la République.

— Mais, madame Humbert, si vous voulez que les choses bougent, il faut que je publie cette lettre ! lui a-t-il lancé.

Et voilà comment, la semaine suivant cette conversation et alors que je n'avais toujours pas de réponse de l'Élysée, ma lettre au Président et toute l'histoire de ma vie se sont retrouvées dans le journal du coin. Ici, à Berck, on a pas mal parlé de cette histoire, mais je voyais bien que si les habitants pour la plupart compatissaient, ils se foutaient pas mal de mon sort. Ma lettre avait peut-être ému, mais ça n'allait pas plus loin. Je faisais pitié aux gens, et de pitié je n'en voulais pas. En fait, quand j'ai écrit cette lettre au Président, je ne pensais pas que la presse s'en ferait l'écho. Pour moi, mon envie de mourir, c'était un secret avec ma famille, quelques personnes de mon entourage en qui j'avais confiance, le Dr Rigaud et le président de la République pour qui j'ai beaucoup d'estime. Je voulais aussi que son épouse Bernadette soit au courant. Car déjà bien avant mon accident, j'aimais beaucoup Bernadette Chirac pour tout ce qu'elle faisait, pour toutes ses actions en faveur des enfants hospitalisés. Son opération pièces jaunes est une œuvre fabuleuse. Déjà avant je mesurais l'importance de son combat. Plus jeune, j'avais même participé à une collecte de pièces jaunes dans mon village, je trouvais cela tellement bien, tellement utile. Désormais, je comprenais encore mieux la raison de cette opération puisque j'étais concerné par le sujet : il n'y a rien de plus important que d'avoir un proche près de soi lorsqu'on est enfant et hospitalisé, quelle que soit la durée du séjour à l'hôpital.

Bref, pour en revenir à cette lettre, je n'ai pas pensé une seconde que d'en parler à un journaliste puisse avoir autant de répercussions. Car un autre journaliste, Frédéric, qui écrit ce livre pour moi et qui travaille pour RTL et pour le journal *France-Soir*, a eu vent de cette histoire. Je me rappellerai toujours ce jour-là. C'était le dimanche 15 décembre 2002. Il avait lu ma lettre et mon cri dans le journal local et nous avait appelés ici, à l'hôpital, pour prendre rendez-vous avec ma mère. Or la veille, au courrier, j'avais reçu une réponse de l'Élysée. Ma mère était toute tremblante en ouvrant l'enveloppe sur laquelle, en haut à gauche, il était inscrit « Présidence de la République ». « Dépêche-toi, dépêche-toi », je me disais dans ma tête. Ça faisait tellement longtemps que j'attendais cette réponse. La réponse du Président. J'allais enfin savoir, j'allais enfin avoir de l'aide. Je savais bien que mon appel n'était pas vain. J'avais eu raison d'insister alors que ma mère ne voulait pas que j'écrive à Jacques Chirac.

Alors maman, qui était tout aussi étonnée que moi de cette réponse somme toute rapide, a ouvert l'enveloppe, sans la déchirer. Une enveloppe de la Présidence s'ouvre délicatement. Elle a déplié la lettre avec tout autant de délicatesse et a commencé à lire de sa voix douce, mais un peu tremblante tout de même :

Cher Monsieur,
Le président de la République a bien reçu votre lettre. Sensible aux sentiments qui ont inspiré votre démarche, M. Jacques Chirac m'a confié le soin de vous remercier de lui avoir fait part de votre témoignage et de vous assurer de tout son soutien dans l'épreuve à laquelle vous êtes confronté.
Croyez bien que le chef de l'État comprend vos préoccupations.
Je vous prie d'agréer, cher Monsieur, l'expression de ma considération distinguée.

J'étais fou de rage. Cette lettre signée du chef adjoint de cabinet de la présidence de la République ne me convenait pas du tout ! Ils se foutaient de moi. Tout le monde se foutait de ma vie, de mon sort.

À mon côté, maman était tout aussi dépitée.

Elle ne disait rien, mais comme moi elle restait stupéfaite.

Cependant, après quelques minutes de réflexion, nous nous sommes dit que cette lettre qui lui était destinée, le Président ne l'avait jamais lue. Elle n'était jamais parvenue entre ses mains.

– Tu sais, Vincent, c'est toujours comme ça, ces gens-là, on ne peut pas leur écrire directement.

Je demeurais pourtant persuadé qu'il fallait que le Président m'entende. J'étais sûr qu'il était l'homme de la situation, l'homme de cœur, de pouvoir, la personne qu'il me fallait pour que je trouve une solution. Comme je le disais dans ma lettre, il a le droit de grâce, pourquoi ne pourrait-il pas accorder le droit de mourir à ceux qui le lui demandent ? Les médecins ne voulaient pas me tuer, mais le Président pouvait leur dire : « Allez-y, donnez-lui la mort puisqu'il veut en finir. »

En fait, ce rendez-vous que maman avait avec le journaliste de RTL tombait bien. Lui, c'est sûr, allait nous aider. Maman en était certainement encore plus consciente que moi car elle connaissait un peu le pouvoir des grands médias nationaux. Alors elle est allée à ce rendez-vous, non sans que je lui aie recommandé de tout dire sur ma vie, de ne rien oublier pour expliquer ce qu'était notre enfer quotidien, mon intention, mon envie.

Voilà comment le lendemain, la voix de ma mère passa toutes les demi-heures sur RTL tandis que ma photo faisait la une de *France-Soir*.

Cette journée du lundi fut une journée de folie. Surtout pour maman. Moi, j'avais réussi mon coup, j'en étais fier et j'analysais cela tranquillement depuis ma chambre en écoutant la radio, la télé. Les infirmières, les infirmiers, les aides soignantes, les aides soignants et tout le personnel du centre passaient les uns après les autres, entraient dans ma chambre et avaient à peu près tous les mêmes réflexions : « Alors ça y est, Vincent, tu es célèbre, on parle de toi à la radio ! » Comme si j'avais fait cette démarche pour être célèbre ! Ils ne comprenaient donc rien ?

Maman, ce jour-là, n'est pas allée travailler car, la veille, le journaliste l'avait prévenue qu'elle allait avoir une longue et dure journée et qu'elle devrait me protéger. Ce fameux lundi, je ne l'ai presque pas vue, nous n'avons que très peu parlé. Elle était trop occupée à répondre aux dizaines de journalistes qui l'attendaient dans le hall du centre hélio-marin, espérant ainsi me rencontrer.

Or nous étions convenus, maman et moi, d'une seule chose : oui je voulais que l'on parle de mon histoire, de ma lettre au Président, de mon envie de mourir, mais non, je ne voulais pas d'un défilé dans ma chambre. Je ne suis tout de même pas une bête de foire ! Je ne voulais pas que les gens me voient avec cette tête. Je ne voulais pas que tout le monde découvre que le jeune Normand tétraplégique qui avait écrit au président de la République avait une tête difforme, un air de légume... La seule photo décente qui méritait d'être publiée était celle qui avait été prise le jour du mariage de mon frère Guillaume, un mois avant mon accident, le 26 août 2000. Cela me fait d'ailleurs repenser que ce jour-là, j'ai bien failli rater le mariage de Guillaume et Delphine. Ç'avait déjà été tout un cirque pour trouver une chemise qui me convienne, Caro avait elle aussi mis du temps à s'habiller, à se maquiller. Donc nous étions partis légèrement en retard de l'appartement de Verneuil. Mais en plus, et je ne me rappelle pas pourquoi, je me suis trompé de mairie, et même de village. Personne à la mairie. Et pour cause ! J'étais à dix bornes du lieu où se tenait la cérémonie.

Ce mariage, je ne m'en souviens pas. Ces péripéties non plus, mais on me les a tellement racontées que, parfois, j'ai l'impression de me les rappeler.

Tout cela pour vous dire que ce jour-là, j'étais beau et bien habillé. Cette photo était donc la seule image de moi que je voulais donner. Je l'ai déjà dit, je ne veux pas de pitié. L'appel lancé à Jacques Chirac était un appel sincère, précis, pas une plainte. Je ne veux pas qu'on s'apitoie sur mon sort, je veux simplement qu'on me comprenne.

Et puis, si j'ai refusé de me montrer, c'est aussi par respect pour ma mère. Je sais qu'au quotidien elle fait tout pour que je sois présentable. C'est elle qui chaque soir prépare mes habits pour le lendemain. Elle préfère le faire elle-même car si ce sont les infirmières du matin qui le font, je suis habillé n'importe comment. Elles n'ont aucun goût ! Il est vrai qu'elles ont peut-être d'autres préoccupations. Mais pour moi, c'est très important, encore aujourd'hui, d'avoir de belles fringues, d'être bien coiffé, que mon bouc soit bien taillé. Question de dignité. Question, non pas de bien-être, mais de mieux paraître, de mieux me présenter à mes proches, à ceux qui viennent régulièrement me rendre visite et qui sont habitués à me voir délabré mais digne. Pour les autres, pour les journaux, les télés, je ne voulais pas choquer.

Et pourtant je sais qu'ils sont nombreux, photographes et autres cameramen, à avoir voulu déjouer la surveillance du personnel du centre

pour aller jusqu'à ma chambre. Certains ont
même été jusqu'à proposer une très grosse somme
d'argent à ma mère pour avoir une photo de moi
sur mon lit. Si bien qu'après quelques heures, j'ai
eu droit à un vigile devant ma porte.

Maman, pendant ce temps, continuait à
répondre aux journalistes. ça m'a fait tout drôle
de l'entendre le soir à la télé. Ma mère au journal
de 20 heures ! Elle était forte, pour répondre
aux questions ! Qu'est-ce qu'elle parlait bien,
ma mère ! Qu'est-ce qu'elle faisait bien passer le
message !

En quelques jours, j'étais devenu une star. Et
je ne dirai pas que je n'aimais pas ça. On parlait
de moi dans tous les journaux, sur toutes les
radios, sur toutes les télés. Le téléphone de ma
chambre ne cessait de sonner, ma mère était suivie
dans la rue jusque tard dans la nuit quand elle
rentrait chez elle, tout le monde lui parlait de
moi...

Jamais je n'aurais imaginé une telle répercus-
sion. Jamais je n'aurais pensé que ma lettre au
Président fasse autant de bruit. Jacques Chirac
non plus. Enfin peut-être que si. Car tout cet épisode médiatique m'a permis de recevoir la réponse

que j'attendais. Celle du Président, écrite de sa main, au stylo à plume m'a dit ma mère, avec une belle écriture. Le Président avait enfin entendu mon appel ! Je crois que si le journaliste de RTL n'avait pas relaté cette affaire, il n'aurait peut-être jamais su que j'existais, jamais entendu mon cri. Mais cette fois-ci, il était au courant et c'est lui qui me répondait.

Paris, le 17 décembre 2002
Cher Vincent,
J'ai lu votre lettre avec émotion. Vos terribles souffrances et l'angoisse que vous exprimez au sujet de votre mère, si dévouée, me touchent profondément. Votre appel est bouleversant.

Je ne puis vous apporter ce que vous me demandez, car le président de la République n'a pas ce droit. Mais je comprends votre désarroi, votre détresse profonde face aux conditions de vie que vous endurez, votre révolte aussi devant tant de fatalité et de malheur. Je veux vous aider.

Je verrai prochainement votre mère. Nous parlerons de vous, mais aussi d'elle. Nous devons absolument trouver ensemble les moyens d'alléger le poids des contraintes si lourdes qui sont les siennes.

Je veux vous dire, cher Vincent, qu'il est possible de rechercher pour vous des aides nouvelles qui vous apporteront, je l'espère, plus de réconfort, d'apaisement et de

soulagement au milieu de tant de souffrances et de déses-
poir. Nous allons tous nous mobiliser pour cela.

Je voudrais enfin vous dire, ainsi qu'à votre mère,
qui vous lira cette lettre, tout mon respect. Je suivrai
personnellement l'évolution de votre situation. Je serai
toujours disponible pour vous et pour elle.

Cher Vincent, je suis avec vous et je vous dis toute
ma chaleureuse affection.

Jacques Chirac

Quand maman a eu fini de me lire cette lettre,
j'étais à la fois content que le Président m'ait
répondu, et furieux parce que ce n'était pas la
réponse que j'attendais. Mais comme il promettait
à ma mère de la voir au plus vite, j'ai tout de
même espéré au fond de moi qu'il trouverait une
solution pour abréger mon calvaire.

Alors, et malgré cette grosse déception, je me
suis mis à réfléchir à une nouvelle lettre, peut-être
plus forte, plus dure, plus convaincante. J'y pensais déjà depuis un certain temps, je l'avais pré-
parée. Et cette réponse, enfin signée de la main
du Président, ne me suffisait pas. Il fallait insister.

Ainsi, le jour même où je recevais le courrier
de l'Élysée, une autre lettre partait de Berck.
« *J'espère que vous lirez cette lettre, Monsieur le Prési-*
dent, avais-je écrit en préambule. *Je ne demande pas*

la lune, je demande simplement le droit de mourir. Les animaux, on ne les laisse pas souffrir. Alors pourquoi nous, les êtres humains ? »

Mais je n'étais pas au bout de mes surprises. En plein après-midi, alors que je restais planqué dans mon lit, pour être tranquille, le portable de maman coupé, le téléphone de la chambre s'est mis à sonner. Étonnant, car maman avait bien précisé au personnel du centre de ne pas nous déranger. Mais quand elle a décroché, j'ai tout de suite su que ce coup de fil était très important.

Ma mère répondait mais n'avait pas la même voix que d'habitude. Je la sentais bizarre, comme si l'autre personne au bout du fil l'impressionnait. Et moi, pendant ce temps, je voulais savoir, je bougeais mon doigt pour qu'elle me voie, pour qu'elle me dise. D'habitude, quand le téléphone sonne, elle précise toujours à haute voix qui est à l'autre bout du fil. Mais pas là.

Soudain, elle s'est approchée de moi avec le combiné et a dit :

– Je vais vous le passer, il peut vous entendre. Tiens, Vincent, c'est le Président, il veut te parler.

J'ai un moment cru à une blague, mais devant l'émotion de ma mère et surtout en entendant la voix grave au bout du fil, je me suis vite rendu compte que c'était bien du président de la République qu'il s'agissait.

— Vincent, je te propose une chose. Est-ce que je peux voir ta maman ? Tu dis oui ou tu dis non.

Malgré la surprise, l'émotion d'avoir pour la première fois de ma vie le chef de l'État en ligne, je n'ai pas hésité une seconde. J'ai fait un petit signe de la tête et maman a aussitôt répondu :

— Il a dit oui !

— Très bien ! Alors ta maman viendra me voir et nous parlerons.

Le reste de la conversation, les mots qu'il a prononcés, les termes qu'il a employés avant de me dire au revoir et de raccrocher resteront secrets. Un secret entre lui et moi. Même à ma mère je n'ai jamais raconté ce que le Président m'a dit cet après-midi-là et toutes les autres fois où il m'a téléphoné personnellement, comme à Noël, ou le jour de mon anniversaire...

Cette première conversation, ce court moment passé au téléphone avec M. Chirac m'a bouleversé. Ma mère aussi était bouleversée. Paniquée même. « Mais qu'est-ce que je vais lui dire, au Président ? » n'arrêtait-elle pas de répéter. Rendez-vous avait été pris pour la fin de la semaine.

Moi, j'étais aux anges ! J'avais peut-être ma solution, le Président allait recevoir ma mère, ils allaient parler de moi, ils allaient ensemble trouver un moyen de ne plus me faire vivre dans ce monde dont je ne veux pas. Il fallait attendre le samedi. C'était long mais cela nous permettait, à maman et à moi-même, de bien préparer tout cela. Un souci avait déjà été résolu, le transport jusqu'à Paris, puisque le Président avait expliqué à maman qu'on viendrait la chercher devant chez elle et qu'on la ramènerait le soir même ici, à l'hôpital, pour qu'elle me raconte sa journée, pour qu'elle me répète ce qu'il lui avait dit à mon sujet.

– V –

Ici, à Berck, régnait une agitation infernale.
Tout le monde voulait me voir, ma mère était
toujours suivie dans la rue par les journalistes,
même le soir très tard. Certains d'entre eux ont
même été jusqu'à se planquer sur le parking du
foyer où elle habite. Quand maman sortait du
centre pour aller bosser ou pour rentrer chez elle,
elle partait de ma chambre avec son gros bonnet,
son écharpe remontée jusqu'au nez et la capuche
de son manteau par-dessus tout cela pour ne pas
qu'on la reconnaisse. Mais malgré ces précautions,
ils arrivaient encore à venir l'importuner. Et puis
ce que je crois surtout, c'est que certaines personnes ici, que je ne nommerai pas mais elles se
reconnaîtront si un jour elles lisent ce livre, prenaient un malin plaisir à indiquer aux journalistes
ce que ma mère faisait de ses journées, à quelle
heure elle arrivait, à quelle heure elle ressortait...

D'ailleurs, ce qui m'a le plus désolé, dans toute cette période, c'est le comportement des gens qui depuis des mois avaient l'habitude de me voir ici, dans ma chambre ou dans les couloirs, sur le chemin de la salle de kiné ou d'ergo. Je ne veux pas forcément parler du personnel qui en grande majorité a compris mon message, mais des autres familles de malades qui se sont permis quelques réflexions déplacées, voire méchantes envers maman. Vous savez, ma mère ici est très connue. Depuis que je suis dans ce centre, elle a sympathisé avec beaucoup de personnes. Elle connaît tout le monde au centre. Quand elle va chercher le courrier à l'accueil, boire un café à la cafétéria ou fumer sa cigarette à l'extérieur pendant qu'on me fait mes soins, elle rencontre plein de gens et elle discute. Elle aime bien parler, ma mère. Alors elle s'est fait plein d'amies parmi les mères et les épouses de malades qui sont hospitalisés ici. Entre elles, elles se confient beaucoup. Elles parlent surtout pour évacuer leur souffrance. C'est normal : elles ont tant de choses en commun ! Chacune d'elles a vécu et vit toujours un drame. La plupart d'entre elles savent très bien que leur vie est fichue à jamais. Que la personne qu'elles aiment ne sera plus jamais celle qu'elle a été. De toute façon quand tu arrives à Berck, dans ce centre, les médecins se chargent bien de le dire à tes proches. Maman m'a souvent raconté que, quand elle est arrivée ici en même temps que moi, encore dans le coma, les médecins lui ont annoncé d'emblée :

— Il faut que vous fassiez le deuil de votre fils, madame Humbert.

Ma mère leur a répondu :

— Mais mon fils est vivant, vous avez tout fait depuis le début pour qu'il vive ! Comment voulez-vous que je fasse le deuil de mon fils qui est encore en vie, qui respire toujours et qui se réveillera peut-être un jour ?

Mais les médecins insistaient.

— Oui, mais ce ne sera plus jamais le même quand il se réveillera, s'il se réveille. Ce sera quelqu'un d'autre.

Il paraît que ce dialogue de sourds a duré cinq mois. Pendant cinq mois, ils ont répété la même chose à ma mère qui chaque jour était à mes côtés. Pendant cinq mois, ils ont tenté de la décourager. De lui faire accepter que le garçon qui était dans le lit à côté d'elle n'était plus que l'ombre de son fils. En apparence, il lui ressemblait, mais c'était quelqu'un d'autre.

J'ose à peine imaginer ce qu'elle a dû ressentir pendant ces longues semaines. Mais au final, ce sont eux, les médecins, qui ont dû se sentir mal en voyant que maman n'abdiquait pas et qu'elle continuait à aimer son fils, la chair de son amour.

Maman a résisté à ceux qui voulaient qu'elle fasse le deuil de moi, mais d'autres mères, sœurs, épouses, n'ont pas cette force. Elles acceptent de faire ce deuil avant l'heure, laissent tomber et s'en vont d'ici. Certes, elles reviennent de temps en temps pour rendre une petite visite, pour ne pas totalement oublier qu'un jour elles ont eu une fille, un fils, un mari qui a basculé dans un autre monde. Mais ce n'est plus comme avant. Elles n'ont pas la force, l'amour, la volonté de faire ce que fait ma mère : voilà plus de deux ans que je suis ici et elle n'est jamais partie. Elle ne m'a jamais quitté pour mener une autre existence, loin d'ici. Et pourtant les autres l'ont souvent poussée à le faire. « Vous aussi vous avez votre vie, lui disaient-ils, il faut faire le deuil. »

Faire le deuil, ça signifie quoi, en fait ? Oublier ? Apprendre à vivre sans l'être que l'on vient de perdre ? À bien y réfléchir, cette phrase ne veut rien dire. Quand on perd un être cher on ne peut pas l'oublier. C'est impossible ! Chaque jour on y pense, chaque jour on se remet en tête les moments de bonheur, de malheur, les moments de la vie que l'on a vécus avec lui. Et les photos que vous avez gardées avec vous sont là, dans vos moments de blues, pour vous faire repenser à cette personne disparue physiquement, mais pas en vous. Oui, elle est morte, elle n'est plus là, mais elle est en vous chaque jour, chaque seconde.

Alors si de surcroît cette personne est toujours vivante, je ne comprends pas et je crois que je ne comprendrai jamais pourquoi ils insistent pour que les mères et les familles fassent le deuil. Il faudra que l'on m'explique !

De tout cela, et de plein d'autres choses, maman en discute avec ses « copines ». Certaines comprennent mon choix, d'autres non. Mais ce que je n'accepte pas, c'est que celles qui n'admettent pas mon choix viennent me dire que je suis un monstre avec ma mère, que je n'ai pas le droit de lui imposer une telle décision, et qu'elle est folle d'accepter un défi pareil.

Mais elles ne savent rien de ma vie ! De notre vie ! Elles me croisent cinq secondes et elles me jugent, elles « nous » jugent. De quel droit ? Beaucoup d'entre elles ne passent que quelques heures par semaine, voire par mois, avec leur enfant et se permettent de juger une femme, une mère qui aurait plutôt besoin de réconfort et de soutien, une mère qui est là au quotidien et qui a sacrifié sa vie pour son fils. Elles feraient mieux de prendre exemple sur elle. Le pire dans tout cela, c'est qu'elles ne la condamnent pas en face mais par personnes interposées. Seulement on arrive toujours à savoir ce qui s'est dit et qui l'a dit. Alors, quand je les entends venir dans ma chambre et me lancer « salut mon petit Vincent, tu vas bien ? Tu sais, on est de tout cœur avec toi ! », ça me donne envie de vomir. De toute façon je laisse ma main inerte pour ne pas qu'elles la prennent. Pourquoi tant d'hypocrisie dans ce monde d'adultes ? Un monde que je n'ai qu'effleuré dans ma vie et que je découvre ici, dans cet hôpital, avec ces gens qui se transforment en procureurs.

Mais ce n'est pas grave, au fond. Cela n'a fait que renforcer les liens pourtant déjà si forts que j'ai avec maman. Souvent je la sens désespérée, fatiguée de se donner à fond pour moi et d'être en butte à la critique. Au point que lorsqu'on dit « c'est bien ce que vous faites, madame Humbert », elle n'ose même plus y croire.

Ce sont en fait les premières lettres que j'ai reçues qui lui ont un peu redonné le moral. Des lettres qui sont arrivées dès le lendemain de son passage à la télévision. Une vingtaine le premier jour. Cinquante le deuxième. Des centaines et des centaines ont suivi. Au total, je crois en avoir reçu plus de deux mille et je continue d'en recevoir, de toute la France et aussi de l'étranger.

Quelqu'un m'a même écrit une chanson. Je trouve le texte très beau. Il est signé de Yannick Lardou, mais cet homme ou ce jeune homme ne m'a jamais recontacté et j'ai perdu son adresse. Mais quand maman me lit son texte, cette chanson composée pour moi, c'est comme si j'avais de gros frissons. J'imagine bien Marc Lavoine la chanter. J'adore Marc Lavoine. Je serais tellement heureux si un jour il pouvait chanter cette chanson qui s'appelle *Vincent !...*

Entends-tu mes cris de douleur
À choisir ma vie pour qu'elle meure
Il n'y a pas d'anges ici, ils sont ailleurs
J'choisirai même un pays, j'lui offrirai mon cœur

REFRAIN
J'peux plus parler mais j'peux pas me taire
Même si je vais droit en enfer
J'demande une avance sur mon horaire
Mais c'est le pot d'fer contre le pot d'terre

J'ai déjà sauvé des vies, de la misère
J'étais volontaire à la vie, j'voudrais la refaire

Y a une erreur, j'ai pas choisi ce cercueil en fer
Le silence et la nuit sont mes dernières lumières

(refrain)

Depuis l'24 septembre de l'an 2000, j'ne vois plus clair
Neuf mois sans conscience virile, j'me réveille amer
Encore combien d'années ferez-vous pleurer ma mère ?
Je veux rejoindre « Johnny s'en va-t-en guerre »

(refrain)

Changez les lois, changez-les pour moi et tous mes frères
Nous n'avons pas écrit le début, pour la fin laissez-nous
[faire
Vous déposerez quelques fleurs, j'écouterai vos prières
Je vous prendrai la main, je serai heureux et vous serez
[fier

(refrain)

Cette chanson qui m'émeut, tous ces textes envoyés, tous ces dessins d'enfants, ces cadeaux que j'ai reçus m'ont fait du bien. Et la lecture des premières lettres nous a permis de préparer plus sereinement le pèlerinage de ma mère à l'Élysée. Dès que maman arrivait au centre par une porte dérobée – car il y avait toujours autant de monde à sa poursuite, et pas que des journalistes, des voyants, des gourous, des diseurs de bonne aventure, des mecs bizarres –, elle allait chercher le courrier et en route pour de longues heures de lecture ! Il y avait de tout. De longues lettres, des petits mots d'encouragement, des cartes postales...

Maman ouvrait les enveloppes, me disait ce qu'il y avait dedans. « Tiens, c'est un papier à en-tête blanc ! » « Oh ! Celui-ci écrit comme un cochon. » « Elle vient de Paris, de Bordeaux, de Marseille, de Suisse... »

On m'écrivait de partout. On m'envoyait des présents, du parfum, des peluches... Mais parmi les lettres, certaines m'ont touché plus que d'autres. Comme celle-ci, écrite par un dénommé Jacques, qui habite Lyon.

Cher Vincent

Je suis comme toi, j'ai eu moi aussi le 24 septembre un accident qui a fait de moi ton frère de misère. Ce ne fut pas un accident de voiture mais un accident vasculaire cérébral.

Comme toi, petit frère, je suis tétraplégique, j'ai une trachéo, des gavages et des fausses routes et un corps qui appartient aux kinés, aux infirmières, aux aides soignants. Mais j'ai un œil valide et j'y vois assez.

Cela depuis le 24 septembre 1997. J'ai trois ans de

139

misère de plus que toi, c'est pour cela que je t'appelle
« petit frère ».

L'indiscrétion médiatique entourant ton SOS a ému
la France et m'a replongé trois ans en arrière, quand
je voulais comme toi quitter cette vie invivable.

La première chose que je veux te dire, c'est que moi
aussi j'ai fait une sévère déprime pendant deux trois
ans et que tous ceux qui sont passés par là ont fait la
même découverte de l'horreur.

Tous ont dit la même chose.

Il est normal qu'on traverse ce désert, qu'on hurle
la perte de notre corps, de nos repères, de notre métier,
de nos projets.

Il est même indispensable de pouvoir hurler, bouche
ouverte sur nos cris muets.

Ma femme n'entendait ma voix que lorsque mes sanglots dépassaient ma canule et faisaient vibrer mes cordes
vocales. Tu connais ça aussi, petit frère, le chant des
sanglots, c'est le nôtre.

Deuil, tout est deuil : deuil de la voix comme du
reste, et ce deuil est déjà une mort.

Comme il aurait été facile de partir, il suffisait de
poser quelques instants son doigt sur la canule.

Et je suppliais ma femme de le faire. Mais on ne
peut pas demander ça à quelqu'un qui vous aime. Elle
me répétait doucement : je t'ai aimé debout, je t'ai aimé
assis, je t'aime couché, rien n'est changé.

Ta mère pourrait dire les mêmes paroles : je t'ai aimé

petit, je t'aime adulte. Je t'ai aimé valide, je t'aime encore handicapé, rien n'est changé.

Or moi, je pensais que mon handicap avait anéanti mon affection comme mon corps. Eh bien ça, c'est faux ! L'affectif est indestructible, le cœur possède de l'amour et non du corps. Ç'a été une découverte.

J'ai aussi appris la différence entre la pitié et l'amitié. La pitié est un sentiment qui va avec le corps et l'amitié est un sentiment qui va avec le cœur, ou l'esprit si tu veux. J'ai fait ainsi le tri parmi mes amis.

Je peux aussi te dire que ton deuil, je veux dire ta déprime, va prendre fin. Il faut du temps, de la souffrance, de la patience, de la misère pour en sortir.

En ce moment, tu ne le vois pas parce que tu le vis, et que ta souffrance te paraît définitive.

Avant que tu prennes une décision de vie ou de mort pour toi, je veux encore que tu saches ceci : j'ai découvert une vie différente, nouvelle et intéressante. Je dis bien : intéressante, qui fait de mes jours des temps vivants. Je vis. Tu vivras toi aussi.

Jusqu'au 24 septembre 1997, je vivais. Le 23, j'étais encore à mon travail ; le 24, j'étais dans le coma.

On vit à notre époque à 85 % par notre corps et 15 % seulement avec notre esprit.

Le corps a une telle importance qu'on ne réfléchit que juste ce qu'il faut. On fait de la musculation, de l'entraînement et du bronzage, du sport et du relax. Et l'esprit sert pour le travail et les loisirs. Et quand tout bascule, quand la voiture n'est plus qu'une carcasse et notre corps aussi, est-ce que notre esprit est aussi en pièces détachées ?

Ma femme me répétait sans cesse : tu as connu le corporel, les activités physiques. Il reste à découvrir le monde de l'esprit : l'intellectuel, le culturel, la musique, la lecture, la littérature, l'imaginaire, le virtuel, le relationnel.

C'est presque comme une nouvelle planète à découvrir, un nouveau monde, en tout cas pour moi.

Et on s'y est mis tous les deux : lecture, romans, radios, films, discussions...

Et on a appris à communiquer comme toi par les lettres de l'alphabet.

Je découvre tous les jours l'immense étendue de la vie spirituelle. Je vis. Mon corps ne me paraît plus si important, si indispensable et j'ai l'impression de rester un homme vrai et entier.

Après cinq ans de galère, petit frère, je vis. Plus de cauchemars et de vertiges vertigineux. Quand je me réveille, je ne dis plus « je commence une journée de handicapé », je dis « je commence ma journée ».

Cinq ans de rééducation quotidienne ont redonné à ma main droite la possibilité de bidouiller ma radio-commande et ma télécommande. Je peux montrer les lettres sur mon ardoise, ce qui est plus rapide que par les signes de paupières.

Voilà ce que je voulais te dire : j'ai retrouvé une vie

différente mais riche en amitiés, en imaginaire, en affection, en écoute des autres. La vie de l'esprit existe, qui fait de nous des hommes vrais et même heureux. Crois-moi, quand la déprime sera finie, toi aussi tu revivras.
Salut petit frère.

Quand maman a eu fini de lire cette lettre, elle était comme moi, bouleversée.

– Tu vois Vincent, ce n'est que passager. Tu vas retrouver le moral, tu vas comme lui retrouver goût à la vie !

Mais les paroles de cet homme ne pouvaient pas trouver d'écho chez moi. D'accord, il a retrouvé la volonté de vivre après tant de mois de souffrances. Mais lui, contrairement à moi, ne souffre plus aujourd'hui. Jamais dans sa lettre il ne me dit qu'il souffre. Moi je souffre. Moi j'ai mal. Moi je ne supporte plus cela. Et puis il ne doit pas être aussi jeune que moi. Dans ce cas il a déjà eu une vie d'homme valide – d'homme avec un corps, des gestes, des gourmandises, des appétits sexuels –, bref une vie « physique » avant d'avoir sa vie d'esprit. Moi je n'ai eu qu'une vie d'enfant et d'adolescent. Je n'ai été, au fond, qu'en apprentissage. Je n'ai pas eu le temps de profiter de l'âge adulte. La vie est partie de moi alors que j'allais enfin pouvoir l'apprécier.

Malgré cela, j'ai adoré cette lettre. Elle est si

sincère ! Et même si je ne suis pas totalement d'accord avec ce « grand frère », cela me réconforte de savoir que sur cette Terre des gens comprennent ce que je ressens. Parce que, comme moi, ils ont vécu cela.

Des lettres aussi fortes, aussi intenses, j'en ai reçu quelques-unes. D'autres étaient beaucoup moins gentilles. Elles voulaient m'envoyer en enfer « pour l'acte odieux » que je voulais accomplir.

Puis sont arrivées les lettres des politiques, des députés, des sénateurs, des anciens ministres qui combattent depuis des années pour faire voter une loi sur l'euthanasie. Car mon SOS, mon histoire avait relancé le débat. Le président de la République avait certes exprimé son « émotion » face à mon appel, mon cri de douleur, mais le ministre de la Santé était resté ferme. Il réaffirmait son opposition à l'euthanasie et argumentait en disant : « Qu'un être humain puisse donner la mort à un autre ne peut pas figurer dans un texte de loi. »

Alors, les fervents défenseurs de l'euthanasie m'ont écrit. Et là, je me suis aperçu que finalement, beaucoup de gens souhaitaient que les choses changent. Maires, députés, anciens députés, sénateurs, anciens sénateurs, tous ceux qui un jour avaient été ou étaient encore « en politique » téléphonaient à ma mère ou m'écrivaient.

Votre appel vient de rappeler cruellement si besoin était un problème fondamental toujours non résolu en ce XXIe siècle, dans notre pays.

Je souhaiterais vivement que notre groupe politique au Sénat et à l'Assemblée nationale prenne une initiative législative déterminante sur ce sujet crucial ! Une fois encore, les Pays-Bas ont pris de l'avance en accordant le droit à l'euthanasie. Qu'attendons-nous pour prendre des initiatives ?

Sachez que votre souffrance ne peut être vaine et que votre exemple concourt à faire prendre conscience, à faire évoluer une problématique figée depuis des siècles.

En ce sens, vous représentez une véritable valeur, valeur envers vous-même, valeur envers autrui.

Je rends hommage et je respecte pleinement votre détermination.

Que le courage, le vôtre et celui de votre famille, reste à vos côtés, que le soulagement et le bonheur soient l'aboutissement de votre épreuve.

Le débat avançait. À la radio, à la télé, dans les journaux. On ne parlait plus de moi, de ma vie, on parlait d'euthanasie, de droit à l'euthanasie. Les sondages faits auprès de la population étaient éloquents. Une forte majorité des Français affirmait être favorable à cette pratique, dans des cas extrêmes bien précis, évidemment. J'étais heureux. On ne m'avait pas encore accordé le droit de mourir mais on envisageait de faire valoir ce droit pour tous ceux qui étaient dans mon cas, ou dans une situation similaire.

Avant que je sois dans cet état, bien avant que je lance mon appel au Président pour lui demander le droit de disposer de ma vie, je pensais déjà la même chose : il faut accorder le droit à l'euthanasie à ceux qui le demandent. À la maison, avec mon frère Laurent, nous en parlions souvent. Il faut dire qu'avec notre métier de pompier nous étions souvent confrontés à la mort, nous devions souvent l'affronter. Je me souviens qu'à table on discutait de cela, au grand désespoir de ma mère qui protestait en vain : « Vous ne pouvez pas parler d'autre chose ? »

Elle n'aimait pas qu'on parle de la mort. Pourtant Lolo me répétait souvent : « Si un jour je dois finir handicapé, sur un lit d'hôpital jusqu'à la fin de mes jours, j'espère que tu m'achèveras. » Et moi je lui disais la même chose. Je lui affirmais sans hésiter une seconde que si je le faisais pour lui, il faudrait qu'il le fasse pour moi. Je crois qu'en fait j'ai toujours été pour l'euthanasie, même si, pour en parler, je n'employais pas ce mot autrefois.

Et voilà que l'on continuait à m'écrire pour me dire « tu n'es pas seul », « ton combat servira pour les autres », « courage ! », « ton appel émouvant fera réfléchir les grands hommes, qui penseront peut-être : et si c'était nous ? ».

Toutes ces lettres, tous ces petits mots, tout ce qui était écrit dans les journaux, tout ce qu'on disait dans les rues, dans les médias, tout cela me faisait plaisir parce que, enfin, on allait s'occuper de nous.

Car pour que les choses bougent, il faut remuer les consciences. Mon appel a relancé le débat. Après les essais infructueux de plusieurs malades, ou proches de malades qui, avant moi, avaient osé parler de cela, il a permis de reposer une question qui me paraît essentielle : pourquoi faire vivre quelqu'un qui souffre, quelqu'un d'à moitié mort qui supplie qu'on le laisse choisir ? Il faut que la France, que tout le monde arrête de fermer les yeux et cesse d'éluder le problème.

En quelques jours et par mon appel au Président, j'étais devenu le nouveau porte-parole de l'euthanasie en France. J'étais devenu un symbole.

Oui, j'ai osé ! Oui, j'ai toute ma tête et j'ai osé demander le droit de mourir.

En fait je suis bien content d'avoir foutu le bordel. Si ça peut servir. Pas à moi, mais aux autres, car si un jour les gens qui nous gouvernent se penchent et font adopter une loi sur l'euthanasie, je crois que je ne serai plus là pour la voir. Mais au moins aurai-je posé, avant de mourir, un acte citoyen. Que ma vie brisée, que ma mort servent à ceux qui comme moi veulent et souhaitent, comme l'anglaise Diane Pretty l'avait d'ailleurs fait, mais sans succès, demander la mort. La mort non pas comme une défaite, une lâcheté, mais comme un soulagement pour le malade et pour son entourage. Une mort digne, choisie, réglementée. Ce dont je serais le plus fier, c'est qu'un jour soit votée une loi Humbert dans ce sens. Alors mon combat n'aura pas été vain.

J'y crois ! Je veux y croire quand ma mère ouvre mes lettres et me lit ce que pensent les gens. Bien sûr, certains m'écrivent que je n'ai pas le droit de demander cela. Que c'est un crime. Qu'il faut encore espérer. Mais ils écrivent cela parce qu'ils ne sont pas concernés. Parce qu'ils ne sont pas dans mon état, eux ou un de leurs proches. Si c'était un membre de leur famille qui était à ma place, ou si c'était tout simplement eux, peut-être réagiraient-ils autrement !

Une jeune fille a bien compris ce que je voulais dire. Elle l'a exprimé un jour au concours de plaidoiries des lycéens, organisé par le mémorial de Caen. Cette jeune fille, Anne Duclaux, a remporté le premier prix en défendant un texte sur l'euthanasie. Ce texte, qu'elle a appelé « La programmation de la mort », elle me l'a envoyé, et c'est maman qui, avec des sanglots dans la voix lors de certains passages, me l'a lu.

« Je voudrais mourir vivant », lança Serge Gainsbourg à Bernard Pivot, en réponse au célèbre questionnaire de Proust.

Mesdames et Messieurs, membres du jury, j'ai choisi de plaider en faveur de l'euthanasie.

En effet, ma démarche vise à défendre la liberté ultime de ceux qui entendent rester maîtres de leur vie. Elle ne s'inscrit, bien sûr, nullement dans une optique du mépris de la vie.

Je sais bien qu'un simple discours ne changera probablement pas le cours des choses mais je vous demande seulement de prêter une oreille attentive, afin peut-être de mieux savoir et de mieux comprendre ce que vivent au quotidien les malades condamnés.

« *Toute personne a droit à la liberté* », à la dignité, à ce droit absolu, un droit que chacun peut revendiquer et c'est au nom de ce droit que certaines personnes s'indignent de leur situation.

Atteintes de sida en phase terminale, de la poliomyélite ou de sclérose latérale amyotrophique, elles ont toutes leur mot à dire car la mort ressemble pour elles à des traversées nocturnes, ces traversées du désert qui engendrent la désespérance parce qu'on n'en voit plus le bout, parce qu'on ne sait pas ce qu'il y a devant.

L'euthanasie est un problème dramatique par sa complexité inextricable. Il s'agit d'un vaste sujet qui suscite beaucoup de polémique et il semble bien que le mot lui-même continue de faire peur.

Si quelqu'un est condamné à mort par sa maladie, si quelqu'un endure de terribles souffrances, ayant conscience de sa dégradation physique ou mentale, allant jusqu'à souhaiter sa mort, alors hâter cette mort, est-ce un homicide ? N'est-ce pas au contraire lui rendre service que de l'aider à franchir dans de meilleures conditions un cap de toute manière inéluctable ?

Est-ce du courage ou de la lâcheté ?

De la charité ou de l'égoïsme ?

De l'assistance ou de l'assassinat ?

C'est par transfusion sanguine qu'un homme a été contaminé par le virus du sida. En stade terminal, il préfère une mort « propre » à une mort « salie » de souffrances et de peines... Il a choisi de tout abréger. Il ne veut plus vivre, il n'arrive pas à imaginer ce lent chemin vers la mort. En toute connaissance de cause, il ne peut que crier son ultime demande à ceux qui ont le pouvoir de la satisfaire : cela reste, peut-être, sa seule et unique liberté...

Tolérer l'euthanasie, ce n'est pas donner le droit à certaines personnes de quantifier la valeur de la vie humaine ; ce n'est pas non plus prendre la fuite face à une situation qui nous dérange, c'est mettre fin aux souffrances pour mettre fin à sa dégradation.

Un malade de ce genre connaît : de la lassitude, de l'oppression, des insomnies tenaces, des nausées et des vomissements, la soif, des incontinences qui exigent des soins constants — ce que le malade ressent comme une humiliation —, des douleurs inévitables qui, jusqu'alors combattues, deviennent intolérables, une déperdition des forces, c'est-à-dire qu'il dépend entièrement de son entourage car il ne lui est plus permis de faire le moindre effort physique.

Faire le deuil de son autonomie est une des souffrances les plus pénibles qui soient : perte de l'estime des autres, perte des conditions de vie décentes ou de l'estime de soi-même, perte de sa dignité.

Je connais le cas d'une femme qui fut frappée à l'âge de dix-neuf ans de poliomyélite. Elle passait son bac de philo, elle fut condamnée à respirer toute sa vie avec une machine, souffrant de paralysie. Aucun choix ne lui a été proposé, elle a subi une trachéotomie sous anesthésie locale sans même avoir été consultée. Une vie dont elle n'aurait certainement pas voulu s'est imposée à elle. Cette femme s'est sentie dévalorisée par son handicap, par sa maladie incurable.

L'euthanasie est un refus à l'acharnement thérapeutique car celui-ci met tous les moyens techniques en œuvre, mais ils exténuent le patient, ils retardent artificiellement sa mort en prolongeant inutilement son organisme.

Les soignants revendiquent, c'est vrai à juste titre, les soins palliatifs. Mais le traitement des douleurs physiques et l'accompagnement psychologique de la personne en fin de vie ou gravement handicapée suffisent-ils ?

Certes, les religions peuvent poser le problème moral de l'euthanasie et affirmer que l'on ne perd aucune dignité quand on souffre, quand on est malade, éprouvé, ou quand on est prêt à mourir ; on ne peut que respecter et admirer leur choix mais il n'appartient qu'au malade, et à lui seul, de décider de son cas.

Je me rappelle avoir lu un article sur une dame âgée de quarante-trois ans qui souffre actuellement d'une sclérose latérale amyotrophique en phase terminale, une maladie douloureuse et incurable qui entraîne un décès par étouffement.

Paralysée du cou aux pieds, elle ne peut plus s'exprimer de façon compréhensible et on l'alimente au moyen d'un tube. Son espérance de vie est très limitée et ne se compte qu'en mois, voire qu'en semaines. Mais elle reste capable de prendre des décisions.

Face à cette déchéance de la mort, qui est constamment angoissante, elle réclame le suicide assisté.

Et comment ne pas se sentir bouleversé par le cas de ce jeune homme de vingt et un ans, tétraplégique, muet, aveugle qui, en désespoir de cause, écrit une lettre au président de la République ?

Reconnaître ce droit serait effectivement la solution. D'autres pays d'Europe se sont peut-être plus mobilisés sur ce sujet, en particulier les Pays-Bas qui tolèrent cette pratique depuis 1997. Ils sont devenus, en avril, le premier pays au monde à légaliser l'euthanasie à condition, toutefois, que certains « critères de minutie » aient été respectés auparavant.

Ces critères stipulent que le patient doit être atteint de « souffrances insupportables et incurables » et qu'il doit surtout avoir formulé le souhait de mettre fin à ses jours.

Avant de procéder à l'acte, le médecin doit consulter au moins un autre de ses collègues au jugement indépendant. Chaque acte d'euthanasie doit ensuite être *signalé à une commission composée d'un médecin, d'un spécialiste éthique et d'un juriste qui décident si tous les critères de minutie ont bien été respectés. En cas de non-respect, la situation est immédiatement signalée à la justice.*

Les Pays-Bas sont donc le seul pays à avoir élaboré un dispositif juridique complet relatif aux différentes formes d'euthanasie.

Je pense, de toute manière, qu'une telle démarche ne peut être mise en place qu'en installant un certain nombre de restrictions, afin de fermer la porte à tout abus criminel.

Toutefois, je comprends que respecter actuellement l'éthique n'est pas chose facile pour un professionnel à qui on va demander de soigner sans s'acharner, d'informer sans trop en dire, de respecter la volonté de son patient mais pas toujours, ou encore d'alléger les souffrances, même si cela peut abréger la vie, mais pas d'abréger la vie pour alléger les souffrances...

Devant toutes ces ambiguïtés, il convient, c'est une priorité, d'être attentif à la qualité de vie du patient et à la préservation de sa dignité. Avant tout, il s'agit d'entendre la volonté des malades qui savent, mieux que quiconque, là où ils en sont. Les écouter fait parfois la différence.

Mais ne pourrait-on pas aller plus loin dans la reconnaissance du droit à l'autonomie de la personne malade, ne pourrait-on pas lui donner les moyens d'exercer sa dernière liberté ?

En conclusion, je dirai que tolérer cette pratique permettrait, enfin, à nos médecins consentants de ne plus pratiquer l'euthanasie dans l'ombre. En milieu hospitalier, environ mille cinq cents décès par an sont dus à un arrêt des soins. Arrêtons l'hypocrisie !

Cependant, il n'est pas question, pour les patients, de vivre dans l'appréhension constante de voir leurs propres médecins assimilés à des donneurs de mort. Légaliser l'euthanasie ? Il ne s'agit pas d'en faire une obligation ou une pratique applicable pour tous. Légaliser n'est pas banaliser. Il s'agit là de reconnaître l'exercice d'une liberté individuelle.

Regardons les choses en face. Peut-on dire qu'être maintenu artificiellement en vie, parfois pendant de longues années, dans un coma profond et irréversible, correspond à notre conception de la vie ? Accepteriez-vous, pour vous-mêmes, ce genre de déchéance ? Ne voudriez-vous pas maîtriser la fin de votre vie, ou seriez-vous capables de laisser à autrui la décision de prolonger cette vie jusqu'au délabrement ?

Ne pensez-vous donc pas que nous avons tous le droit de décider de nos derniers instants avant quiconque ?

Au nom de la liberté du choix,
Au nom de la dignité humaine,

Au nom de la liberté de la personne,
Accordons la priorité à la volonté individuelle.
Défendre l'euthanasie, c'est défendre la vie.

J'aurais aimé rencontrer cette jeune fille pour la remercier. Je sais qu'elle voulait venir me voir au centre mais qu'elle n'a pas pu car elle habitait trop loin de Berck et qu'elle avait des examens à passer.

Ce qu'elle a aussi osé dire à son âge, c'est ce que les adultes responsables devraient penser.

Si beaucoup de gens comme moi, ou des gens touchés de près par un cas comme le mien, réagissent de la même façon que cette lycéenne, alors nous pourrons faire plier ceux qui nous gouvernent pour qu'un jour, ils fassent appliquer un droit à une euthanasie transparente et réglementée.

Maman aussi s'est beaucoup investie dans cette voie. Pour que le monde bouge, j'aurais voulu qu'elle en fasse encore plus, qu'elle passe sur toutes les télés, sur toutes les radios, dans tous les journaux. Mais elle me répétait souvent : « Tu sais, Vincent, ce n'est pas parce que je vais aller dans cinquante émissions de télé qu'on va dire : "Bon eh bien allez, celui-là on l'euthanasie..." ! »

En plus, ce qu'elle vivait était fatigant pour elle qui n'a pas une santé de fer. Mais je restais persuadé qu'il fallait continuer, d'autant que maman allait enfin rencontrer le président de la République.

– VI –

La veille de son rendez-vous à l'Élysée, ma mère a passé de longues minutes avec moi, pour préparer ce qu'elle devait dire au Président. De ma part, elle avait griffonné sur de petites fiches ce que je voulais qu'elle exprime. Et moi, comme si les rôles étaient inversés, elle l'enfant, moi le parent, je répétais mes recommandations : « Bon alors tu as bien compris, tu diras ci, tu diras ça, et surtout tu seras bien polie ! » J'allais même jusqu'à lui conseiller de bien dire « bonjour Monsieur le Président » plutôt que « bonjour Monsieur Chirac », de bien se tenir, de ne pas fumer... Je lui parlais comme un père parle à sa fille lorsqu'elle va pour la première fois à un rendez-vous important.

Maman était un peu stressée. Tu penses ! Si un jour on lui avait dit qu'elle allait être reçue par le président de la République, elle ne l'aurait jamais cru. Moi, j'étais content pour elle. Elle allait voir l'homme le plus important du pays et ça, elle le méritait vu tout ce qu'elle avait fait pour moi depuis mon accident. Je serais bien allé avec elle, je me serais fait tout petit dans son sac pour voir ce qu'il allait dire. Car j'étais certain qu'il allait m'aider, puisqu'il demandait à ma mère de venir le voir.

— Maman, on va enfin réussir, le Président va nous trouver une solution.

Et ma mère de me répondre du tac au tac :

— Tu crois qu'il va pouvoir trouver des médecins qui vont te guérir et te remettre sur pied ?

— Mais non. N'importe quoi ! Il va me trouver une solution pour mourir ! Tu sais bien, nous en avons si souvent parlé. Je ne veux que mourir. Je veux qu'il m'aide à mourir. Pour moi, le Président a tous les pouvoirs. Il peut relever la peine de mort de quelqu'un, alors pourquoi ne pourrait-il pas faire l'inverse ?

Cette phrase, je la lui avais répétée des dizaines de fois. Mais maman ne semblait pas convaincue.

— Non, Vincent, cela n'a rien à voir ! Il ne peut pas t'accorder ce que tu lui demandes. Il peut gracier mais il n'a pas ce pouvoir de décider de la mort de quelqu'un.

Et moi j'insistais :

— Explique-lui bien tout, demande-lui comment il faut faire pour que je meure. Et surtout, n'oublie rien.

Le soir, avant qu'elle quitte l'hôpital, nous avons fait un gros câlin. Je voulais la serrer très fort pour lui faire comprendre que ce rendez-vous était peut-être le rendez-vous le plus important de ma vie. Elle aussi avait besoin d'un câlin. Nous sommes restés plusieurs minutes tous les deux, joue contre joue. Maman était toute tremblante. De peur, d'émotion, je ne sais pas. Nous n'avons pas échangé un mot, comme pour mieux savourer le moment présent. Nous n'avions d'ailleurs pas besoin de parler, nous nous étions déjà tout dit.

— Salut Chouchou, à demain. Dès que je rentre de l'Élysée, je viens te voir !

Et ma mère est partie. Ce soir-là, elle n'a pas dormi chez elle. Un chauffeur de la préfecture du Pas-de-Calais est venu la chercher pour l'emmener dans les appartements de la sous-préfète de Montreuil. C'était mieux pour elle, même si elle ne se sentait pas très à l'aise devant cette invitation.

Moi non plus, je n'ai pas pu trouver le sommeil. Impossible. Trop énervé. Trop anxieux. De toute façon, dès que ma mère s'éloigne de Berck, je ne vais pas bien, j'ai de la fièvre. Elle n'est partie que quatre fois en trois ans et chaque fois j'ai été malade. Cette nuit-là, j'avais mal partout. Comme si les vieux démons qui m'accompagnent depuis mon accident se réveillaient de plus belle pour me rappeler qu'ils étaient bien là, bien en moi. Mais au fond cela me confortait dans ma décision. Dans quelque temps, quand ma mère aurait vu le Président et qu'il aurait trouvé pour moi une solution, je ne souffrirais plus. Adieu les démons, adieu les souffrances, adieu la vie.

Souvent, à la télé ou à la radio, j'entends cette réflexion : « Elle est pas belle, la vie ? » Les gens ont sûrement de bonnes raisons de dire cela. C'est vrai, la vie doit être belle. Pour moi, elle était belle jusqu'à ce dimanche 24 septembre 2000. L'an 2000, l'année que tout le monde attendait. L'année de tous les espoirs. Pour moi, c'est l'année que je n'aurais jamais voulu connaître, l'année du désespoir. Alors, « elle est pas belle, la vie ? » Si, peut-être, pour les autres, mais plus pour moi. « Monsieur le Président, suppliais-je dans ma tête cette nuit-là, aidez-moi ! »

Je ne l'avais pas alerté sur un coup de tête. J'avais mûrement réfléchi ma demande, avec peut-être – j'en suis conscient aujourd'hui – un peu de naïveté, mais avec tellement de conviction ! J'avais réussi à attirer son attention, il m'avait entendu, il ne restait plus qu'une chose : qu'il écoute ce que j'avais à lui dire par la voix de ma mère et qu'il intervienne.

Et là, tandis que d'autres clameront haut et fort, et pour de bonnes raisons, « elle est pas belle, la vie ? », moi, je pourrai dire : « Elle est pas belle, ma mort ? »

Maman a quitté Montreuil de bonne heure le samedi matin. Direction Paris, l'Élysée, avec chauffeur privé. Moi, la seule fois où je suis allé à Paris, c'était avec mes parents, en voiture. Nous avions vu les Champs-Élysées, l'Arc de triomphe, la cathédrale Notre-Dame, la tour Eiffel... Cela me rappelait d'ailleurs que ce jour-là, nous étions montés tout en haut de la tour et que j'avais vomi tout ce que je pouvais. Pourquoi ? La chaleur, l'ascenseur, le monde, la hauteur ? En tout cas, cette ascension n'avais pas été une réussite, et le fait de penser à cela, de savoir que ma mère était loin de moi, même si elle était en mission pour moi ce jour-là, me donnait la nausée. J'avais mal partout. Les douleurs du jour, l'angoisse du résultat de la journée venaient s'ajouter aux douleurs de la nuit. Il a fallu me mettre mon masque pour m'aider à respirer. Je suis resté dans ma chambre, je ne voulais voir personne. Je n'ai même pas voulu m'habiller, ni même qu'on me rase. Je me sentais mal et je tentais de m'imaginer ce que ma mère faisait, où elle était.

Vers le milieu de la matinée, elle m'a téléphoné. C'est une aide soignante qui a décroché et qui a collé le combiné à mon oreille.

— Chouchou c'est moi. Le voyage s'est bien passé, nous sommes dans les embouteillages mais nous arrivons à l'Élysée. Je te rappelle tout à l'heure. Je t'embrasse très fort.

Elle avait rendez-vous à 11 heures. J'étais un peu apaisé d'avoir entendu sa voix. Elle me manque tellement quand elle n'est pas là ! J'ai essayé de me mettre à sa place, de me voir arriver devant ce qui doit être un grand portail. Un service de sécurité énorme, des policiers partout, et ma mère qui entrait dans l'Élysée avec un chauffeur. Le Président qui venait l'accueillir sur le perron, comme le montraient des images que je me rappelais avoir vues à la télé, lorsque l'invité descend de sa voiture après qu'on lui a ouvert la portière, qu'il monte les marches, et que s'ensuit une longue poignée de main devant les photographes.

En fait, cela ne s'est pas du tout passé comme ça. Maman est certes bien arrivée là-bas avec le chauffeur, mais un homme est venu la chercher et l'a conduite jusque dans un salon situé au premier étage, à côté du bureau du Président. Il lui a dit : « Attendez là, le Président va vous recevoir dans quelques minutes. »

Pendant plus d'une heure, ma mère, très émue mais petit à petit mise à l'aise par le Président, qui après l'avoir embrassée lui avait dit : « Oubliez l'homme d'État que je suis, c'est le père qui va parler avec vous », a donc évoqué ma vie avant et après mon accident, ma vie d'enfant heureux, toujours joyeux, ma carrière de pompier qui se profilait jusqu'à l'accident, mes neuf mois de coma et mon désespoir, faute de progrès, qui me poussait à implorer le droit de mourir. Elle avait tellement potassé toutes ses petites fiches qu'elle n'a pas eu besoin de les sortir de son sac.

Le Président lui avoua d'abord avoir été très ému par ma lettre.

— Mais a-t-on réellement tout fait pour lui ? lui a-t-il demandé.

Maman lui a répété ce que les médecins de Berck nous avaient dit en septembre, à savoir qu'il n'y avait plus d'amélioration à attendre.

Alors Jacques Chirac a, paraît-il, pesé un peu plus ses mots pour dire à ma mère :

— Il faut absolument aider Vincent et tout faire pour lui redonner la joie de vivre. Et pour que Vincent aille mieux, il faut que vous aussi vous alliez mieux. C'est pourquoi nous allons vous aider, vous soutenir dans votre quotidien, et j'y veillerai personnellement.

Avant qu'elle ne quitte le bureau pour rejoindre les salons du rez-de-chaussée, le Président l'a serrée une dernière fois dans ses bras, en lui disant de me transmettre un message :

— Un message en toute paternité. Il faut qu'il reprenne goût à la vie. Dites-lui que c'est un ordre du président de la République.

Maman, plus qu'émue, a quitté le bureau du Président puis est descendue un étage plus bas, dans une salle à manger où Bernadette Chirac et sa fille Claude l'attendaient pour le repas. Maman était certes un peu plus détendue mais elle n'a rien pu avaler. Tout lui semblait trop beau, trop bon pour elle. Alors si elle n'a rien mangé, elle a beaucoup parlé. De tout, de moi bien sûr, mais aussi du milieu hospitalier cher à Bernadette. Puis la femme du Président a voulu en savoir plus sur moi, sur ma vie, mes angoisses, mon environnement.

Ma maman a dû passer de belles heures, reçue comme une grande dame, dans les salons cossus de l'Élysée. Mais comme le chauffeur l'attendait et qu'elle m'avait promis de revenir très vite pour tout me raconter, il a bien fallu qu'elle salue tout le monde et qu'elle rentre à Berck. Car moi, je voyais l'heure tourner, mais je ne savais rien.

Comme promis, en sortant de l'Élysée, ma mère m'a téléphoné. Mais je l'ai trouvée très évasive.

— Ça y est, Chouchou, je suis sortie. Cela s'est bien passé. Je pense que je serai là dans deux ou trois heures, le temps de faire la route. Je t'embrasse fort et je te laisse, je n'ai plus beaucoup de batterie sur mon téléphone, ça va couper.

Et elle a raccroché. C'était un comble, tout de même ! Elle aurait pu m'en dire un peu plus. Moi qui attendais depuis des heures, il fallait encore que je patiente. J'avais de la fièvre, j'avais beau appeler les infirmières pour qu'elles me donnent de quoi me soulager, mon mal était mystérieux, différent, pas comme d'habitude. J'avais toujours ces crampes latentes, mais il y avait autre chose. Une autre angoisse, celle de l'attente du retour de ma mère, le moment crucial où elle arriverait dans ma chambre pour me raconter ce que le Président lui avait dit, ce qu'il avait décidé pour moi.

Quand elle est arrivée, il était presque 18 heures. En l'entendant entrer, me dire, comme d'habitude, « salut Chouchou c'est moi », je devais avoir le sourire. J'étais soulagé. Maman était revenue. Il fallait vite qu'elle s'installe et qu'elle me raconte.

— M. Chirac a été très sympa, Mme Chirac aussi, sa fille aussi est très sympa.

Je sentais qu'elle noyait le poisson, qu'elle avait quelque chose à me dire mais qu'elle n'osait pas le faire. Je la connais tellement, ma mère ! Alors je lui ai fait signe de prendre ma main et je lui ai demandé :

— Et alors ?

Il y a eu un long moment d'hésitation. Un silence impressionnant. Maman a coupé la télé qui marchait depuis le début de l'après-midi, elle s'est rassise près de moi et m'a parlé tout bas, sa tête presque collée contre la mienne.

— M. Chirac pense qu'il faut te redonner de la joie de vivre. Qu'il faut qu'on te secoue pour que tu reprennes goût à la vie.

— Il t'a dit ça ?

— Oui !

— Alors il n'a rien compris.

— Oh, si ! Je pense qu'il a tout compris. Il peut t'aider pour des tas de choses mais il ne peut pas t'aider pour ce que tu lui demandes. Il ne peut pas t'aider à mourir.

— Moi si j'étais président, je le ferais !

— Mais le Président ne peut pas aller au-delà des lois, Vincent !

C'était fini, tous mes espoirs, sans doute encore une fois naïfs, s'écroulaient. Je me suis mis à pleurer. J'aurais aimé que mes sanglots coulent à flots pour que ma mère les voie. J'aurais aimé qu'elle comprenne à quel point cette déception me brisait.

Ce soir-là, j'ai eu la force de bouger mon bras, de diriger ma main jusqu'à la sienne pour lui dire :

— Maman, ce n'est pas ma réponse !

Alors maman m'a longuement pris dans ses bras et nous sommes restés ainsi un temps infini. Elle avait senti que je n'étais pas bien du tout. Que la fièvre était subitement remontée.

— Tu sais, il veut me revoir dans six mois pour faire le point, pour voir si tu vas mieux, me précisa-t-elle, espérant, je suppose, me remonter le moral.

Je crois que là, je lui ai lâché un râle de mécontentement, un reproche brutal.

J'avais l'impression qu'elle m'avait trahi. Qu'elle n'avait pas tout dit au Président. Ou qu'elle n'avait pas dit ce qu'il fallait lui dire, ce que je lui avais dit de dire. Six mois, pourquoi attendre six mois ?

— Six mois, parce que tu crois que j'ai encore envie de vivre aussi longtemps ? répétais-je à ma mère qui commençait à pleurer.

— Vincent, il faut réfléchir, il faudra en reparler. Il y a peut-être une solution pour que tu ailles mieux. Tu n'es pas à six mois près quand même, il faut essayer...

J'ai agrippé sa main, la colère était passée.

— Tu sais, maman, je n'en veux pas au Président. C'est un homme de grand cœur, je comprends qu'il ne veuille pas. Et puis dans sa situation, c'est difficile pour lui d'accéder à ma demande.

Maman a eu l'air surprise, presque soulagée. Ainsi donc, je renonçais ? Je crois qu'à l'Élysée, elle avait retrouvé l'espoir. Les mots réconfortants du Président, de Bernadette Chirac l'avaient transformée. Sa nouvelle mission était de me redonner goût à la vie, elle allait s'y mettre ! Seulement ce n'était que sa mission, pas mon choix. Et ma décision, nous en avions assez parlé, était ferme et définitive. Alors je l'ai fait cruellement retomber de son petit nuage. Elle qui avait un moment espéré me faire changer d'avis allait retomber dans le cauchemar de sa vie : un fils qui insiste pour ne plus vivre, qui la supplie de trouver une solution pour mourir.

— Puisque le Président ne veut pas m'aider, puisque le Dr Rigaud ne veut pas m'aider, nous allons passer au plan B.

– VII –

Si notre plan A, à savoir la lettre et l'aide du Président, n'avait pas marché, il fallait passer au plan B : partir à l'étranger, là où l'euthanasie est tolérée, là où contre quelques milliers de francs, on vous ôte la vie.

Je sais, je vous parle en francs. Il paraît que maintenant il y a l'euro. Mais permettez-moi de ne pas savoir ce que c'est que l'euro, à quoi ressemblent les pièces, les billets, je ne les ai jamais vus. De mon temps, on parlait en francs. Alors moi je continue de parler en francs. De toute façon, l'euro je n'y comprends rien et ça ne m'intéresse pas de connaître la monnaie en vigueur depuis que je suis mort.

Bref, pour passer au plan B, il fallait de l'argent. J'ai bien un peu de sous sur mon compte, mais pas assez pour l'intervention aux Pays-Bas. Pourtant, là-bas, ce serait si simple. Tu arrives, tu paies, tu t'installes, et si tu réponds à leurs « critères de minutie », tu dis « au revoir » à tout le monde, on te fait ta petite piqûre et c'est fini. Bye bye !

Le problème, outre l'aspect financier de la démarche, c'est qu'avec les recommandations du Président et tous les gens qui depuis que j'étais célèbre me portaient un peu plus d'attention, il n'était pas facile de quitter le centre hélio-marin en disant : « Bon, eh bien je m'en vais ! Je pars me faire euthanasier à l'étranger... »

J'ai alors demandé à ma mère qu'elle engage un tueur de la mafia pour qu'il vienne me liquider dans ma chambre. Le jour où je lui ai soumis cette idée, maman a éclaté de rire. J'étais pourtant très sérieux mais elle se moquait :

— Bien sûr, Vincent, que je vais aller trouver la mafia ! Quelle mafia ? Tu crois que moi, ta mère, j'ai des relations avec la mafia ? Il n'y a que dans les films que l'on voit cela. Et puis avec quel argent je les paierais, les tueurs de la mafia ? Il y a des jours où je me demande si tu as toute ta tête, Chouchou.

Ça m'a vexé. Je trouvais mon idée pourtant bonne ! Un mec entrait ici incognito, me tuait et repartait ni vu ni connu sans impliquer personne. D'ailleurs, il y a peu de temps, ce scénario a failli se produire. Un jeune homme est arrivé en début d'après-midi à la porte de ma chambre, il a frappé et a demandé à ma mère s'il pouvait me parler. Maman s'est aussitôt levée, a discuté quelques minutes avec lui dans le couloir et ensemble ils sont revenus près de moi.

— Vincent, tu as de la visite, ce garçon voudrait te parler...

Pendant plus d'une heure, celui que j'appellerai Jimmy, pour préserver son anonymat, a discuté avec moi de mon envie de mourir.

— Tu sais, m'a-t-il dit, je trouve que ton choix est courageux, courageux pour toi, mais aussi pour ta famille.

Ses paroles m'ont réconforté. Alors, au bout de vingt minutes, j'ai demandé à lui prendre la main pour lui parler, mais j'ai surtout demandé à ma mère de sortir, je ne voulais pas qu'elle entende. Cela n'a pas été facile de me faire comprendre, car le pauvre Jimmy n'avait pas l'habitude de dicter l'alphabet, de composer mes mots à chaque pression de mon pouce. Pourtant, il a réussi à comprendre ce que je voulais lui dire. Je sentais que ce garçon n'allait pas bien. Sa main était toute frêle, seule la peau recouvrait ses os. Et puis quand il parlait, sa voix était hésitante, saccadée.

— Tu veux quoi ? lui ai-je demandé.

— T'aider à mourir, si tu le souhaites.

Je sentais que ce qu'il me disait était sincère, que ce n'étaient pas des paroles en l'air.

— Pourquoi ? ai-je dit.

Il s'est un peu plus dévoilé, m'a parlé de sa vie, alors que jusque-là il était resté très évasif sur le sujet.

— Tu sais, Vincent, je suis comme toi, en attente de ma mort. Je suis atteint du sida et il ne me reste plus que quelques mois à vivre. Mon ami est mort il y a peu de temps, je vais mourir à mon tour.

J'étais stupéfait. Il était venu de la région parisienne uniquement pour me voir, uniquement pour m'aider à mourir.

— Mais pourquoi veux-tu m'aider ? lui répétais-je.

— Parce que ton combat est beau et que moi je n'ai plus rien à perdre. Je n'ai pas toujours fait de belles choses dans ma vie. Alors, si au moins une fois je pouvais rendre quelqu'un heureux...

Sa main devenait de plus en plus tremblante.

— Tu réfléchis, j'en parle aussi à ta mère et on se revoit demain.

Et Jimmy est parti. Je ne l'ai jamais revu. Je sais seulement que le lendemain il a vu maman, qu'ils ont parlé de ce qu'il voulait faire, mais que ma mère a refusé son offre. Donc il est retourné chez lui. C'est la seule fois que quelqu'un est venu me voir comme ça, au culot, pour m'offrir ses services, moi qui voulais que maman engage un mec de la mafia.

De toute façon, maman traînait les pieds. Je le sentais bien, et d'ailleurs elle me le disait clairement :

— J'ai fait une promesse au Président, on laisse passer ses six mois et on reparlera de tout cela.

Elle y tenait, à ces six mois. Et c'est long, six mois, quand on souffre. Mais j'ai décidé de lui faire plaisir, et d'attendre. Et puis le Président m'avait à nouveau téléphoné pour me dire qu'il allait s'occuper de ma mère, et qu'il fallait absolument que je reprenne goût à la vie. Je n'en pouvais plus de patienter mais, finalement, ces six mois de sursis allaient me permettre de préparer mon départ.

J'en avais, des choses à faire ! Après mon accident, j'ai reçu en indemnité pas mal d'argent. Cet argent, je veux que Lolo et Guigui le prennent pour vivre mieux. Je veux aussi que l'on achète des cadeaux à mes neveux. Je veux que tout soit en ordre.

— Maman, c'est d'accord, j'attends six mois. Mais dans six mois, on passe au plan C.

Ma mère, qui ce jour-là était très fatiguée, ne m'a pas répondu. Elle s'est juste contentée de me lancer un petit « d'accord ». Ce n'est que le lendemain que nous avons parlé plus longuement de notre plan C.

Plan A, plan B, plan C... Nous avions, un soir de déprime, et bien avant que ma lettre au Président ne parte, établi cette stratégie en parlant tout bas – au moins en ce qui concerne maman –, pour que personne ne puisse entendre. Ainsi, lorsque par la suite nous évoquerions le plan A, le plan B ou le plan C, personne ne pourrait comprendre. Le plan C, je l'avais clairement établi cet après-midi-là :

– Je veux mourir, je veux mourir, je veux que l'on mette fin à mes jours, et c'est maman qui va le faire. Maman, puisque tu m'aimes, c'est toi qui vas me tuer. Il faut que tu fasses cela pour moi.

Elle avait juré de m'aider. Elle était ma dernière solution.

– Je ne sais pas si j'y arriverai, Vincent. C'est trop dur ce que tu me demandes. Mais j'ai juré. Alors je le ferai.

Puis elle s'est levée, a quitté ma chambre et m'a dit :

– Je reviens, Chouchou, je vais fumer une cigarette.

Mon cœur venait de s'arrêter de battre une

demi-seconde. Maman avait dit oui ! C'est horrible ce que je venais de lui demander, mais à part
elle, je ne voyais pas qui d'autre pouvait le faire.
Elle m'a donné la vie, elle va m'offrir ma mort.
Ce sera son dernier cadeau. Elle se reprochera
peut-être toute sa vie d'avoir fait ça, mais elle va
le faire pour moi, parce qu'elle m'aime. Elle n'a
pas le choix. C'est moi qui le lui demande, c'est
moi qui souffre, c'est moi qui subis. De toute
façon, je crois qui si elle ne le fait pas, cela va
nous éloigner, et ça, je ne le veux pas. Je lui
demande là un acte d'amour, puisque je la supplie
de me rendre ce service, de m'envoyer là où je
devrais être depuis bientôt trois ans.

Car ma vie, elle n'est pas ici. Ma vie, elle est
là-haut, avec ma Juju, ma petite chienne que
j'aimais tant. Je vais la rejoindre. On aura plein
de choses à se raconter. Comme elle m'a manqué,
toutes ces dernières années, ma Juju ! Elle, elle a
eu de la chance. Elle a vécu heureuse près de nous,
elle est tombée malade, maman l'a fait piquer. Je
voudrais être comme elle. Je veux finir comme
elle. Je veux la rejoindre. Dieu sait pourtant que
j'ai été triste quand elle est partie ! J'avais quinze
ans. Cette chienne, ma chienne, dormait avec moi
tous les jours. Elle avait son oreiller dans mon lit
depuis que j'étais bébé. Quand mes parents l'ont
adoptée, elle avait deux mois, et moi six. Nous

avons tout fait ensemble. Nous partagions le même biberon au chocolat, au désespoir de ma grand-mère, elle jouait avec mes jouets, c'était ma confidente. Alors quand elle est partie, j'étais triste, certes, mais soulagé pour elle car elle souffrait trop. Les animaux c'est comme les hommes, on n'a pas le droit de les laisser souffrir.

Je pense que pour ma mère ce sera pareil. Elle est triste et mal dans sa peau parce qu'elle me voit souffrir, elle sait qu'il n'y a plus rien à faire pour que j'aille mieux, donc je crois qu'elle sera soulagée de me savoir en paix avec mon corps, avec mon âme. De toute façon, il faut s'occuper des gens qu'on aime jusqu'au bout. Moi je veux qu'elle m'accompagne, qu'elle me tienne la main jusqu'au dernier moment de ma vie, de cet ersatz de vie qu'on me fait vivre. C'est avec elle et grâce à elle que je veux faire le grand saut, partir là-haut...

Je dis « là-haut », mais je ne sais pas au juste de quoi je parle. Je ne suis pas croyant, je n'ai jamais cru en Dieu et ce n'est pas aujourd'hui que je vais m'y mettre. S'il y avait un dieu en ce monde, il n'accepterait pas de laisser vivre des gens comme moi, il n'y aurait pas de guerres, tout le monde serait beau, tout le monde s'aimerait. Alors qu'on arrête de me bassiner avec Dieu ! Des dizaines de personnes m'ont envoyé des lettres en me disant que Dieu ne peut pas me laisser faire cela, que Dieu n'autorise pas cela, qu'il ne me pardonnera pas...

Non, je ne crois pas en leur Dieu. Pour moi, croire en Dieu, c'est se masquer la vérité. C'est de l'utopie. Je ne crois pas à la religion, quelle qu'elle soit. Pourtant, je suis sûr qu'il y a quelque chose « là-haut » ou, en étant moins imagé, après la mort. C'est forcé. Quoi, je ne sais pas, mais de toute façon, là où je serai, ce sera forcément mieux que là où je suis aujourd'hui. Après tout, c'est peut-être cela aussi, être croyant : croire en quelque chose. Croire en une vie après la mort.

Et cette vie après la mort, ce n'est pas celle que je vis maintenant. Je sais ce que c'est, la mort. Je la connais, la mort. Je suis mort depuis le 24 septembre 2000. Je suis resté neuf mois dans le coma, on m'a ôté plus d'un an et demi de souvenirs et je me suis réveillé un jour, ici, sans savoir où j'étais, sans savoir qui j'étais. J'ai juste su que j'avais eu un accident de la route, que je faisais partie du monde des morts vivants et qu'on faisait tout pour m'en sortir. Quelle connerie ! En fait, ce n'est pas seulement pour l'euthanasie en dernier recours que je veux me battre, que je veux que les choses évoluent. L'euthanasie, c'est la solution extrême, celle que l'on choisit quand les souffrances sont insoutenables et quand vous demandez la mort avec insistance. Je souhaite davantage. Ce que je voudrais, c'est que des directives soient prises dans le milieu hospitalier pour qu'enfin on accepte de laisser mourir les gens quand on s'aperçoit qu'ils ne seront plus jamais comme avant. Qu'on arrête de réanimer les personnes qui, comme moi, ont presque basculé dans la mort et qui se retrouvent, après des heures d'acharnement, des heures et des jours de réanimation, plante verte, légume. Rien qu'un corps inerte qui a perdu toutes ses fonctions, qui n'obéit plus au cerveau, lequel, bien souvent, a subi de graves séquelles irréversibles.

Moi j'étais presque mort. D'une mort quasi naturelle, même si elle était due à un accident. J'en avais fini avec ma vie, ma trop courte vie pleine de joies, d'espoirs, de projets. J'ai plongé alors dans une mort par intérim et malheureusement mon contrat a cessé au bout de neuf mois. Et comme prime de fin de contrat, on ne m'a donné qu'un morceau de vie. Alors il a fallu qu'on me réapprenne à vivre ce semblant de vie. Il a fallu tout l'amour d'une mère pour que je redevienne à peine un quart de ce que j'étais avant. À quoi bon ? Quand j'appartenais au monde des vivants, la mort, je n'y pensais même pas. Elle ne me faisait pas peur. Je me disais juste que si par hasard je devais finir dans un fauteuil, je me flinguerais. J'ignorais qu'un jour, je serais dans une situation plus atroce encore, incapable de me tuer tout seul et dans un état de mort vivant.

Ce n'est pas de cette mort-là que je veux. La vraie mort, celle que je souhaite, une mort dont on ne revient pas, cette mort-là est bien plus belle. Elle est belle parce que c'est le vide total. Il n'y a plus rien. Vous ne souffrez plus et vous ne faites plus souffrir les autres. Et puis les autres, ceux que vous aimez, ne gardent plus que les belles images de vous, que les bons souvenirs. Je voudrais tant qu'ils effacent de leur mémoire ces longs mois qu'ils ont dû passer à me plaindre, à me supporter, à pleurer de savoir que j'étais fichu.

Je veux mourir pour moi mais aussi pour ceux qui m'aiment. Pour ne plus leur faire vivre l'horreur de ce quotidien qui est aussi le leur. Souvent je dis à maman que quand je serai mort, je l'aimerai toujours, je l'aimerai pour toujours et que je la surveillerai de là où je serai. J'aurai toujours ma tête sur son épaule si elle a besoin de moi. Mais ce n'est qu'une image, je le sais bien...

En attendant mon heure, il faut que j'habitue mon entourage à ma disparition. Maman est prête, je crois. En tout cas, elle me dit que dans sa tête, et parce que c'est mon souhait le plus cher, elle est prête. L'« après », comme elle dit, elle y pense de temps en temps. Hier, nous en avons encore parlé tous les deux.

— Tu sais, Vincent, ma vie à moi aussi s'est brisée le 24 septembre 2000. Alors te savoir en paix me fera plaisir parce que c'est ton choix. Pourtant, je souffrirai, comme une mère peut souffrir de perdre son enfant. Mais je t'aimerai toujours. Tu seras toujours mon fils. Tu me manqueras, ces moments d'intimité que nous partageons tous les deux me manqueront. Quant à ma vie après toi, je ne sais pas ce qui se passera, si j'aurai la force de vivre.

Maman ne pouvait plus continuer tant elle pleurait. Sa main qui caressait mes cheveux tremblait et me serrait très fort. Et ce long silence qui s'abattait dans ma chambre donnait encore plus d'intensité au moment. J'ai fait un signe avec mon doigt tendu vers elle pour lui indiquer que je voulais lui parler. Ma mère peinait à me dicter l'alphabet, elle ne trouvait pas les lettres. Pourtant, elle a réussi à comprendre ce que je voulais qu'elle sache : « Je t'aime, maman. »

J'aurais voulu le crier très fort pour qu'elle entende une dernière fois ma voix. Mais seuls de petits gémissements ont déchiré le silence.

— Moi aussi je t'aime, Vincent.

Je crois que ni ma mère ni moi-même n'avons bien dormi les nuits suivantes.

Tandis que maman reprenait peu à peu le cours normal de sa vie – boulot, hosto, dodo –, je passais mes journées à préparer ma sortie, à écrire, à répondre à ceux qui m'envoyaient des petits mots. Je voulais répondre à tout le monde, ça occuperait mes six mois d'attente, d'autant que je recevais toujours autant de courrier.

Je me suis mis aussi à l'écriture de ce livre. Cela m'a fait un bien fou. Avec Frédéric, nous avons passé des heures et des heures dans ma chambre à parler. Lui, installé sur la chaise à côté de mon lit, sa main gauche dans la mienne, sa main droite qui écrivait ; moi, allongé ou assis sur mon fauteuil. Nous avons parlé de tout, de ma vie, de sa vie, de musique, de voiture, de foot. Quand il partait le soir et qu'il y avait un match à la télé, on faisait des pronostics. « Ce soir c'est Lyon qui gagne 2-1. » Et le lendemain, quand il revenait, on regardait qui avait dit juste. Un soir, ils ont passé *Le Dîner de cons* à la télé. C'est mon film préféré. Je l'avais vu au cinéma avec Caro dans ma première vie. J'avais adoré. Qu'est-ce qu'on avait ri ! Alors, le lendemain, nous avons parlé de Monsieur Pignon, de Marlène...

Frédéric me faisait rire avec ses histoires, avec ses blagues, et puis comme maman l'aimait bien et qu'ils discutaient beaucoup ensemble, les journées passaient plus vite. Maman lui donnait des détails supplémentaires, sur tel décor, telle aventure, telle péripétie. J'écoutais et j'approuvais.

M'être confié à Frédéric pour qu'il écrive ce livre m'a permis de dire des choses que je n'avais par ailleurs jamais dites. Je voulais que mon témoignage soit sincère et compréhensible par tous : je ne veux pas qu'on me plaigne, je ne le répéterai jamais assez, je veux juste qu'on me comprenne et qu'on m'entende pour que cela reste gravé dans les mémoires. On m'a toujours dit « les paroles passent, les écrits restent ». Ce livre, je l'ai voulu pour faire comprendre à tout un chacun qu'à l'avenir, quand quelqu'un qui a de bonnes raisons de le faire demande à mourir, il faut l'aider.

Mon appel au Président a été entendu mais cela n'a pas suffi. Alors j'ai voulu ce livre-testament. Je dis bien « testament », car je vais mourir. Je vais mourir, partir à une date que seuls ma mère et moi connaissons et avons choisie. Je vais quitter ce monde, quitter les miens et leur laisser le souvenir d'un grand gamin rigolo, d'un frère joyeux et joueur, d'un fils aimé de ses parents, le temps que l'image du malade, du jeune handicapé tétraplégique normand s'estompe... En revanche, mon expérience de mort vivant, je veux qu'elle serve aux autres. Qu'elle serve à faire avancer les choses.

Pour ma part, j'en ai assez de ces mois passés à ne pas bouger, à ne pas sortir, à ne plus voir le monde dehors. J'ai déjà trop fait souffrir ceux qui ont dû m'accompagner jusqu'ici. Alors stop. J'espère que dans la mort on oublie tout. On ne pense plus à rien. C'était comme ça dans ma première mort, il n'y a pas de raison pour qu'il en soit autrement dans la prochaine.

Certains seront sûrement tristes d'apprendre que je ne suis plus là. Ils parleront de drame du désespoir. Qu'ils se détrompent, je suis tellement heureux de partir ! C'est beau la mort, quand elle est souhaitée et qu'elle arrive après des mois d'attente. C'est un peu comme une fleur qu'on vous offre. Elle est en bouton. Vous savez qu'un matin elle va s'ouvrir et vous vous précipitez chaque jour dès les premières heures pour voir si elle se déplie. Et quand enfin elle s'ouvre devant vous, un bonheur immense vous envahit. Eh bien moi, ma mort, c'est comme cela que je l'attends. Chaque jour j'attends qu'elle ouvre ses pétales soyeux. Quand ce jour viendra, je me plongerai dans sa douceur et je pourrai reposer en paix. Alors elle se refermera, m'emportera dans son cœur, dans son écrin de bonheur et je pourrai enfin souffler.

Les pétales fanés tomberont à terre. Prenez-les, jetez-les à la mer pour que les flots les emportent. Maman en gardera un sur son cœur. Celui-ci ne fanera jamais. Il est plein d'amour pour elle. Ne la jugez pas, ce qu'elle aura fait pour moi est certainement la plus belle preuve d'amour au monde. Ce qu'elle a fait depuis mon accident, je voudrais que toutes les mères dans la même situation qu'elle le fassent. Avec autant d'insistance, autant de persévérance, autant d'amour. Demain, si par malheur, frappé comme elle par le destin, vous deviez apprendre notre alphabet spécial pour communiquer avec votre enfant, ne pensez pas à moi, pensez à elle. Pensez à tout ce qu'elle a accompli pour moi. Pensez à tout l'amour qu'une mère doit avoir en elle pour aimer autant. Et laissez-la vivre en paix le semblant de vie qui lui reste à vivre.

Direction littéraire
Huguette Maure

assistée de
Marie Dreyfuss
et
Maggy Noël

Composition P.C.A.
44400 – Rezé

Impression réalisée sur CAMERON par

BRODARD & TAUPIN
GROUPE CPI

La Flèche

pour le compte des Éditions Michel Lafon
en septembre 2003

Imprimé en France
Dépôt légal : septembre 2003
N° d'impression : 20186
ISBN : 2-84098-992-1
LAF 514